JN370171

소래교회 만화

존 로스와 조선형제들

어두움을 딛고 말씀을 배달했던 조선 형제들의 이야기

2. 한글성경배달과 조선교회 역사

글과 그림 변영우

초판발행 2017년 01월 20일
2쇄발행 2022년 04월 01일

펴 낸 이 김옥인
펴 낸 곳 문광서원
출판등록 제 2010-000074 호
주 소 서울 용산구 한남대로 41-6
홈페이지 www.munkwang.com
E-mail munkwangbooks@gmail.com
전 화 02) 797-8846
팩 스 02) 6455-8522
ISBN 978-89-98232-52-8 (03230)

이 도서의 국립중앙도서관 출판시도서목록(CIP)은
CIP 홈페이지(http://seoji.nl.go.kr)와
국가자료공동목록시스템(http://www.nl.go.kr/kolisnet)에서 이용하실 수 있습니다.

CONTENTS

S

[추천사]

흥행만을 추구할 뿐 내용 없는 영화들이 많습니다.

그저 그림만으로 가득 채운 만화도 많습니다.

심지어는 그런 책도 넘쳐납니다.

아니 요즘엔 하나님의 말씀이 빠진 설교도 많이 들립니다.

성경구절을 인용하지만 하나님의 의도는 전혀 반영되지 않습니다.

지난 역사들을 책으로 혹은 선교 만화로 엮는다는 게 쉬운 일은 아닐 것입니다.

그런데 여기 문광서원에 조선기독교의 역사와 이야기를 쉽게 그러나 정확하게

누가 보아도 손색이 없는 내용으로 가득 담아낸 책이 나왔습니다.

아이들이 재미로, 웃음으로 읽어 넘기기에는 실제적이고,

사실적인 역사 만화입니다.

그래서 저는 이 책을 기독교인이 아닌 분들에게도 추천해주고 싶은

흥미진진한 글이고, 이야기이고, 만화라고 소개하고 싶습니다.

이것은 흘러가는 이야기가 아닌 사실입니다.

우리나라에 복음이 들어오기까지의 선교사님들의 헌신과 희생.

그 과정에서 드러나는 역사와, 어두움에 갇혀있던 이 백성을 향한 하나님의 관심.

이 모든 역사적 사실을 통해 오늘 우리에게 주어진 축복.

만화는 이 모든 사실을 충실하게 담아내고 있습니다. 이 수고와 기쁨을

한국 교회가 다 보고 깨닫고 결심케 되는 역사가 이뤄지기를 기대하게 됩니다.

하나님이 영광을 받으시고, 더 많은 이들이 우리가 선물로 보낼 한 권의 성경이

주는 그 축복에 동참하는 일이 일어나기를 소원하며 추천하는 바입니다.

무익한 종 이 삭

모퉁이돌 선교회

[추천사]

귀한 내용을 즐겁게 볼 수 있도록 출판해주셔서 감사를 드립니다.

어려서부터 서상륜, 서경조 두 분의 믿음의 조상들이 하나님의 말씀을 이 민족에게 전하시기 위해 흘려야 했던 많은 눈물과 헌신의 이야기를 들으며 저 또한 믿음의 길로 걸어갈 수 있었던 것은 큰 복이었습니다. 이 책에는 제가 일찍이 들어왔으나 자세히 알지 못하던 많은 일화들이 구체적으로 기록되어 있었습니다. 하나님께서 우리 민족을 사랑하시고 구원하시려고 귀한 하나님의 일꾼들을 사용하신 복된 이야기를 보며 더 이상 믿음의 선배들의 후손만이 아닌, 저 또한 이 시대에 부름 받은 한 사람으로서 최선을 다해 하나님의 말씀을 전할 것을 다짐해봅니다.

서우진 목사 (서경조 목사의 고손자, 현 영암교회 부목사)

어둠을 뚫고
빛을 배달하다

미국 의료선교사 알렌은
1884년 가을,
최초로 조선 정부의 허가를
받아 공식적으로 조선 땅에
입국한다.
그 다음 해인 1885년, 미국
선교사 언더우드와 아펜젤러가
입국하였다.

그런데 놀랍게도
내한한 선교사들이
지방 전도여행을
나서기도 전,
많은 사람들이
선교사를 찾아와
세례를 요청하는
일이 벌어졌다.

미국에서
선교사님이
왔대요!

그럼
세례 받으러
만주까지
갈 필요가
없잖아!

선교사님! 우리에게
세례를 베풀어 주시라요!

우리도
예수님을 믿는
사람들이라요!

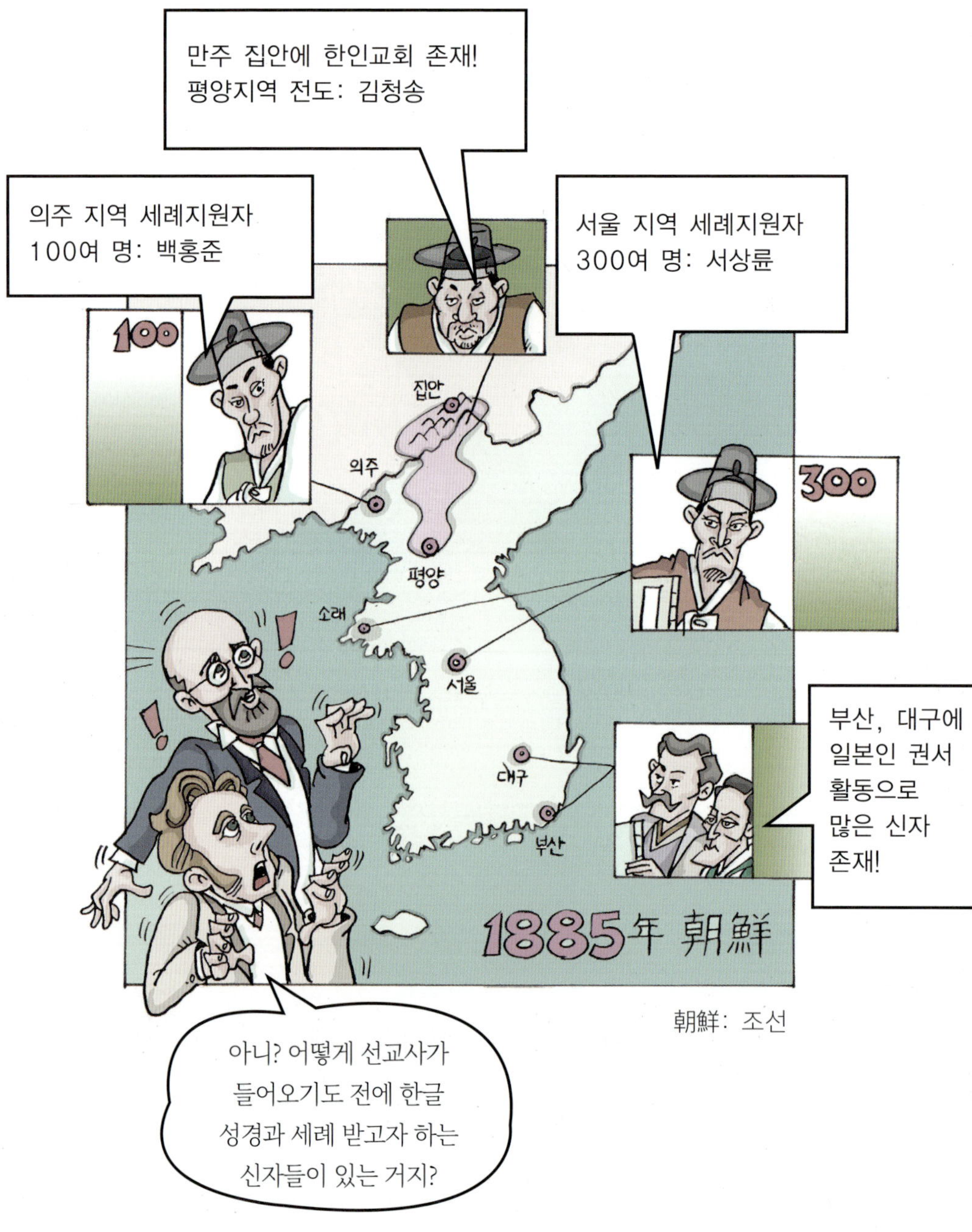
만주 집안에 한인교회 존재!
평양지역 전도: 김청송
의주 지역 세례지원자
100여 명: 백홍준
서울 지역 세례지원자
300여 명: 서상륜
100
300
집안
의주
평양
소래
서울
대구
부산
부산, 대구에
일본인 권서
활동으로
많은 신자
존재!
1885年 朝鮮
아니? 어떻게 선교사가
들어오기도 전에 한글
성경과 세례 받고자 하는
신자들이 있는 거지?

朝鮮: 조선

공식 내한한 선교사들이
씨를 뿌리기도 전,
오히려 '이른 추수'를
하기 위해 분주해야 했던
기적이 조선 땅에서
일어난 것은…

만주에서 10여 년간
모든 역경을 딛고 한글 성경을
번역하여 출간하고…

馬太傳: 마태전
使徒行傳: 사도행전
文光書院: 문광서원

그렇게 만들어진 한글 성경을 목숨 걸고 배달한 주님의 종들이 있었기에 가능한 일이었다.

이 만화는
스코틀랜드 장로교의
존 로스와
맥킨타이어 목사가
문광서원을 통해
한글 성경을
조선 형제들과
번역하여 출간하고,
그것을 조선 형제들이
배달하며 전도하여…

한국 개신교의 '북방 선교 루트'를 개척해 복음을 전하고,
한국 최초의 교회들을 만들어간 하나님의 역사를 추적해본다.

1장: 로스의 안식년과 문광서원 설립

1880~1881년

영구에서 맥킨타이어
목사가 의주상인들을 상대로
특별 성경 공부반을
운영하던 당시,
다른 많은 일들도 벌어졌다.

맥킨타이어 목사는 서상륜에게 1881년 봄까지
존 번연의 〈천로역정〉의 번역을 완성하도록 부탁했다.

앞으로 신앙의 지침서가
될 책입니다. 번역을
잘 부탁해요.

천국 가는 길이 이리
복잡하고 고단하구나!
그래, 마치 나의
이야기 같잖아!
PILGRIM'S
PROGRESS
John Bunyan
텬로력뎡
天路歷程
근데 이 책, 왜 이리
감동적인거야.
훌쩍 훌쩍!

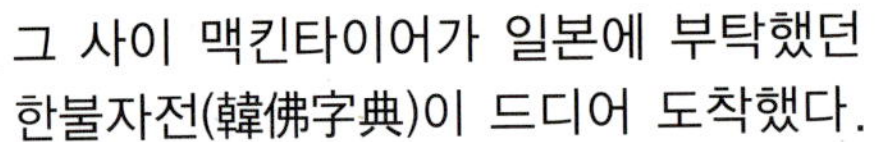
그 사이 맥킨타이어가 일본에 부탁했던
한불자전(韓佛字典)이 드디어 도착했다.

와우! 얼마나
오랫동안 기다려왔던
선물인가!
조선에 먼저
포교 활동을 하러
들어왔던 프랑스
신부들이 조선말을
꽤 정확하게 정리해
놓았거든!
한불주뎐
韓佛字典
DICTIONNAIRE
CORÉEN
FRANÇAIS
이 몸이
프랑스어도
좀 하니까
이제부터 조선말
걱정은 끝이다 끝!

어? 말이 왜
이렇게 다르지?
이거 조선말 맞아?
프랑스 신부들이 배운
조선 말은
뭐야? 내가 배운
조선말 하고
달라도 너무
다르잖아?

하하! 걱정 마시라요 마 목사님! 나중에 서울 아들이 알아서 척척 고쳐 쓸겁네다!

허! 왜 진작 이 사실을 몰랐나? 이거 앞으로 문제가 되겠는데요…

글쎄… 서울 아들이 깐깐해서 걱정이구먼.

1879~1881년 로스 안식년

로스 목사는 1879년부터 2년간의 안식년 기간 중에 펴내게 될 두 책 〈맨드린 프라이머(Mandarin Primer)〉라는 선교사들을 위한 중국어 교본과 〈조선어 교재(Corean Primer)〉의 원고와 함께 4복음서, 사도행전 및 로마서의 첫 한글 번역 원고도 영국에 가지고 갔다.

웰컴 홈! 형님! 7년 만에 외출하셨네.

고생하셨소 형님! 우리 조카 드루도 왔네!

반갑다 동생들아! 그동안 멋진 아저씨들이 되었구나!

하하 조카님 무게가 꽤 나가네!

도널드는 의사 선생님, 알렉산더는 경찰관 나리가 되었구나. 장하다 내 동생들!

도널드 형은 존 형과 나중에 함께 의료 선교를 하겠다고 의사가 된 거 아닙니까! 정말 못 말려!

존 로스의 동생 도널드 로스는 1878년 개업을 하여 글래스고우에서 의사로 지내고 있었다. 존 로스 목사와 드루먼드는 그 근방인 영국의 페이즐리(Paisley)에 자리를 잡았다.

1879년 말 로스는 그곳에 있는 출판사 제이 앤드 알 파래인(J.and R.Parlane)에서 동양학 연구의 이정표가 되는 대작 〈조선의 고대 근대사(History of Corea, Ancient and Modern)〉를 출간한다.

그리고 1881년 2월 24일 로스 목사는 드디어 재혼을 했다. 그의 두 번째 아내 이사벨라 스트랩 맥패디언(Isabella Strapp McFadyen)은 그의 여생의 반려자로 그에게서 8명의 아이들이 출생했으나 그중 네 명만이 성장해서 성인이 되었다.

그리고 조선어 성서 번역 발간 비용을 지원 받게 된다.

처음에 지원을 거부했던 스코틀랜드성서 공회(NBSS: National Bible Society of Scotland)가 지원을 해주기로 결정했다.

1876년 두 번째 고려문 방문을 지원해 준 자선사업가 로버트 아싱톤씨가 종이와 함께 누가복음과 요한복음의 3,000권 인쇄 비용을 돕겠다고 약속했다.

MISSION FOR COREA
조선 사람들 모국어로 된 성경이 없어서 얼마나 불편할까요?
제 일주일 용돈 드립니다. 조선을 위해 기도할게요!
엘진에 있는 초등학교에서도 1파운드 15실링 선교 헌금이 왔어요.
오, 조선에 대한 주님의 사랑이 어린 아이들의 귀한 헌금으로 나타난 거야!
가난한 사람들의 10실링 헌금도 있어요. 모두 조선 선교를 위한 귀한 마음이죠.
마가복음 12장에 두 렙돈을 헌금한 과부를 기억하시죠? 이 헌금도 저희에게 그런 의미에요!
귀하게 쓰일 겁니다 자매님.
얼마 안 되지만 조선 사람들이 성경을 읽는 데 도움이 되길 원해요.

BFBS
조선어 성경 출판의
보험까지 든 셈이네!
조선어 성경출간은
정말 귀한 사업이네요!
스코틀랜드의
성서공회에서 출판
권리를 포기할 경우,
영국 및 해외 성서회
(British and Foreign
Bible Society)가
전액을 지원할 것을
약속하겠습니다!
이런 도움들이 있으니
조선어 성경은 반드시
발간 될 거야!

1881년 만주

2년간의 안식년
휴가를 마친 로스 목사는
1881년 5월 25일
만주 영구에 도착했다.

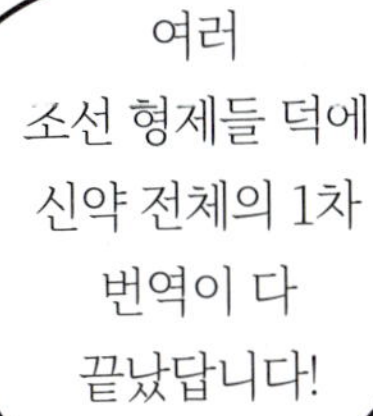

로스는 인쇄소 설치를 위해 심양(봉천)으로 간다.

1881년 7월 스코틀랜드 성서회 총무 릴리(Lilley)의 주선으로 제작된 한글 활자가 일본 요코하마에서 만주 영구의 맥킨타이어 목사에게 도착했다.
Lilley
NBSC
요코하마에서 제작!
横浜
와! 음절별 연활자(鉛活字)가 무려 35,563개나 되네!
35,563
鉛活字
감격스럽군! 이제 조선어 성경의 밑그림이 보이네!

명필로 소문난 서상륜과 동역자들이
함께 목판에 붓으로 한글을 쓰고
그것을 칼로 판 후,
조선, 일본, 스코틀랜드 3국의 연합 작전이었죠!
이것을 일본으로 보내어 4만 개의
납활자를 만들어 오는 거대한 작업이
진행된 것이다.

그리고 뒤이어 스코틀랜드 연합 장로교의 한 교인이 조선어 성경 출간의 인쇄기 구입을 위한 특별 헌금을 한다.

그 헌금으로 상해에서 최신 인쇄기를 구입하여 영구로 수송하는 작업이 시작 되는데!

구입한 인쇄기(활판기)가 도착했다.

이 무렵 만주지방에서는 반(反)외국인 감정이 고조되었고, 기독교인이었던 중국인 인쇄공 3명이 출판소에서 해고되는 일이 생겼다.
예수쟁이 꺼져라!
唐昌天印刷所
奉天飯店
泰五金錫出版所
우리가 2명 정도 고용해서 조선어 성경 인쇄일을 맡기면 딱이겠군!
이것도 주님의 뜻인 거 같다 해.
로스는 이들에게 잉크 제조술도 가르쳐 주었다.
하하 이거 일급비밀인데 잘 보고 배워요.
아니? 이렇게 귀한 걸…
요래 요래 잘 섞어야 한다 해!
빨리 빨리 찍어 보자 해!

그런데 중국인
인쇄공만으로는
조선어 성경을
출간할 수가
없었다.

바로 그 때…

전 만주 집안에서 온
김청송이라고 합니다.

高句麗

集安

와우! 집안(輯安, 지안)이면
옛 고구려 수도 국내성이
있던 곳 아니요?

무슨 일을
하셨는지요?

瀋陽

奉天

만주
수도니까
장사가 좀
되겠지?

저는 영신환(靈神丸)
이란 약을
팔던 장사꾼인데,
어쩌다 이곳
봉천까지 오게
되었죠…

자, 귀신도 놀라
자빠질 명약이 왔시요!

靈神丸

보시라요!
이렇게 얍!

와! 띵호

이거이 하나만 먹으면
힘이 장사처럼 솟아요!

그러다가 약도 다 떨어지고
돈도 다 떨어지게 되었지요…

1881년 여름이 끝나갈 무렵, 드디어 로스 목사가 세운 심양 문광서원은 인쇄 작업을 실행할 모든 준비를 갖추었다.

문광서원(文光書院) 현판식

文光書院
COLUMBIA
DEMY
빛나는 글이라…
이름 참 좋네요!
이제 스코틀랜드인, 중국인,
조선인이 손을 맞잡고
영적으로 어둠에 싸인 중국과
조선에 보낼 문광(文光)을
찍어내기 시작합시다!
삐까뻔쩍!
일단 인쇄기부터
빛이 난다 해!

성경 인쇄에 들어가기 전에 먼저 소책자를 찍어봅시다.

짧은 거면 신앙 초보자들을 가르치는 요리문답이 좋지 않겠어요?

Catechism

要理問答

밥 만드는 요리하고는 상관 없다 해!

질문하고 답하는 방식으로 가르치는 기독교의 신앙고백!

그런데 김청송 형제 왜 이리 손이 느리죠??

중국사람보다 더 만만디네 거의 굼벵이 수준이다 해!

꼼꼼히 읽으면서 실수 없이 확실하게 하느라고요.

정도껏 느려야지! 박사 논문 쓰냐 해?

스코틀랜드 요리문답서를 로스 목사가 요약, 번역 하고 조선 문화에 적절하게 수정을 가한…

목사님 무리하지 마시라요! 힘쓰는 건 나를 시켜요!

COLUMBIA

DEMY

예수셩교문답

낑낑! 첫 문서를 찍는 영광!

4페이지짜리 〈예수셩교문답〉이 나왔어요!

한글로 인쇄된
최초의 기독교 문서로써
<예수셩교문답>이
1881년 10월초에
드디어 문광서원에
출간되었습니다.
여러분!

*참고: 여기서 하느님은 개신교의 문서상 신을 지칭한 최초의 한글 명칭이었다.

문: 천지만물이 어떻게 있느뇨?
답: *하느님이 지어 낸 것이라!

이 표기는 1882년 〈예수셩교누가복음젼셔〉와 〈예수셩교요안네복음젼셔〉에까지 사용되다가 1883년부터 '하나님'으로 바뀌게 된다.

잠깐, 외국인들이 알 수 있게
영어로도 기록해 놓읍시다.

제 남편 참 꼼꼼한
양반이지요?

(영어타자로 추가한 부제)
"Beginning of the Catechism in Corean Setting forth the main doctrines of the Bible":
성경의 주요 교리를
조선어로 풀이한
요리문답의 기초과정

잘하고 있어요
로스 목사, 파이팅!
이번엔 맥킨타이어 목사와 조선인 4명이 공역한 4페이지짜리 <예수셩교요령>을 찍어봅시다.
예수셩교요령
문제 없소!
형씨 좀 빨리 식자하면 안 되겠소? 내용이 지난번보다 어려워?
신약전서의 요점을 전하자는 거지, 신약전서 전부를 인쇄하는 게 아니잖아?
정말 느리긴 느리군요. 허허
다…되…어… 갑…니…다… 진… 짜… 다… 되…었…다!

신약 전체가 이십 칠 편인데 네 편은 예수의 내력이요. 한 편은 예수 친 제자가 만국 만민에게 전한 일이요. 이십 일편은 그 후 이를 믿는 사람에게 가르쳐 전한 말이요. 일편은 장래사(일)를 미리 말한 것이니 이 책의 문리(이치)가 모두 한 가지니 도무지(모두) 예수의 일이라.

4편: 4복음서 1편: 사도행전 21편: 서신서 1편: 계시록

이제 누가복음 요한복음 찍고 나면 같이 갈 곳이 많거든요.

누가복음

만주는 물론, 조선에도 뿌릴 것이니까요.

이 살벌한 시국에 어떻게요?

어떻게 하느냐? 그건
내가 할 걱정이 아니죠!
방법은 주님이 다 준비해
놓으실 테니까요!
이 형제 아멘
했다 해!
동의한 거야?
믿는 거야?
신기하다 해!
아멘!
1881년 겨울,
한양에서 북경으로
가는 동지사 일행 중
수행원 한 명이
로스 목사의 인쇄
식자 일을 맡게 된다.
조선 정부의
명예를 걸고
열심히 일 해주시오!
네.
영감

와우! 손이 안 보여!
진짜 손이 빠른 사나이군요!
주님이 보내신 도움의 손길이네요!
빠른 것도 좋지만 잘 새겨봐서 은혜도 받으시라요.
후다 다닥!
후다닥!
1881년 말부터 누가복음의 인쇄가 시작된다.
자, 이제 본격적으로 누가복음 인쇄에 들어가 볼까요.
후다 다닥!
후다닥!
누가복음젼셔
예수셩교

그러나
1881년
11월에서
12월 즈음
로스 목사에게
비극이 닥쳤다.

Hugh!

여보!!!
무슨 일이오?

엉엉엉엉엉

눈 떠봐! 휴!
오 주여!!

Hugh~

Hugh!!

그의 두 번째
부인이 낳은
첫 아들인
휴(Hugh)가
죽고 만다.

엉엉엉엉엉

로스 목사의 평생 반려자가 되는 두 번째 아내 이사벨라 스트랩 맥패디언에게서 8명의 아이들이 출생했으나 그 중 넷만 성장해서 성인이 되었다.

네 명의 자녀들을 잃는 고통을 겪었다는 이야기지요.

2장: 누가복음 출간과 간도 전도

이 무렵 정부의 전직 관리였던 학자가 번역팀에 참여하여 마지막 수정작업에 큰 몫을 담당했다.

학문이 아주 뛰어나신 어른입니다.

조선을 위해 좋은 일을 하신다기에 제가 미약하나마 도움이 되었으면 합니다.

천군만마를 얻은 기분이네요. 이는 하나님의 격려와 응원이 틀림없어요.

전직관리였던 학자가 한문문리 성경에서 1차 번역을 하면

1

新約全書

文理譯本

路加傳

누가복음젼서

로스 목사와 이응찬이 그리스어 성경(영국 옥스포드 대학 레그 교수가 보내준 최신판 개역 그리스성서)을 참고하면서 2차 번역을 하고,

이것을 다시
제 1번역인
(서상륜)이
정서해주면…

네. 하나님 말씀을 다루는 것이니 정확하게 해야죠. 한 치의 실수도 없게 말이에요.

역시 글씨는 서상륜 형제가 명필이지! 멋있구먼!

이거 내가 1877년 처음 번역한 이래 8-9번의 수정작업을 거치는 것이구먼요 목사님!

다시 로스와 이응찬이 재 수정(3차 번역)하고,

로스가 다시 그리스어 성경과 그리스어 성구사전 및 메이어(Meyer)의 주석 등을 참조, 대조하면서 어휘를 통일한 후 (4차 번역)

겨울이라 잉크가 얼어붙는 어려움에도 불구하고

너무 추워 손이 곱는군.
손 데는 거 아니요? 청송 형제?
이까짓 거 문제도 아닙네다! 불 더 세게 팍팍 지피라우!
식자 문제가 해결되니 이젠 잉크가 얼고 난리다 해!

와! 한 대 뿐인 인쇄기로 청송 형제가 빨리도 찍어내네!

"굼벵이도 구르는 재주가 있다"라는 조선 속담이 맞다 해!

청송 형제가 힘이 좋아서 그런가? 인쇄가 선명하게 잘 되었네요!

1882년 봄, 인쇄가 끝난 누가복음 3천 권의 제본도 마무리 되었다.

1882년 3월 누가복음 초판 간행

드디어 1882년 3월 24일경에 "광세 팔년 예수셩교 누가복음젼셔 심양문광셔원 간"이라는 표지가 붙은 〈누가복음젼셔〉 3,000부가 간행된 것이다.

한국개신교사상 최초의 성경 〈예수셩교 누가복음젼셔〉는 한국 사회와 한국 교회에 '대리석이나 청동으로 된 것보다 훨씬 오래 갈 기념비'로 우뚝 솟아났고 깊이 새겨지게 되었다.

맥킨타이어 목사
1882년 3월,
11년만의
안식년을 갖다!
캐시, 당신은 몇 년 만의
고향 방문이지?
스코틀랜드
산천도
한번 쯤
변했겠군!
저도 벌써
8년 만이네요
또 그 해 10월 26일에는,
영구와 심양에 각각
제임스 웹스터(James Webster)
목사와 듀걸드 크리스티(Dugald
Christie) 의사가 새로운
선교사로 보충되었다.
헬로? 여보세요?
로스 목사님의 수고를 조금
덜어드릴 수 있겠어요.
James
Webster
營口
스코틀랜드 장로회의
만주 선교가 왕성해진
증거겠지요.
奉天
Dugald Christie

로스 목사는 한글 신약 번역에 많은 시간을 썼기 때문에
1881년도 선교사업 보고서를 늦게 부치게 되었고,
이로 인해 에든버러 선교 본부로부터 심한 징계를 받게 된다.

로스 목사! 만주 전도 여행을 더 열심히 하고 중요한 보고서는 제 시간에 보내시오!
당신의 주요 선교사업은 중국인 전도요! 쓸데없이 조선어 성경 번역 사업을 강조하지 마시오!
MISSION REPORT
아니, 같은 하나님 일에 이리 옹색하게 굴다니!
그러니 눈치껏 하셔야죠. 본부에서는 부업보다 본업에 충실하라는 거죠 뭐.

1882년 로스 목사는 선교본부로부터 이런 꾸중을
늘어 놓는 편지들을 가끔 받게 되어 언짢아 했다고 한다.

김청송의 간도 전도

선교본부와의 갈등으로 지쳐 있는 로스 목사에게 하나님은 새로운 전도 사역을 준비시켜 격려를 해주신다.

바로 고구려인의 기백을 살린 김청송의 만주 한인 권서 전도 사역이죠!

김청송은 자신의 마음 판에 그 말씀을 한자 한자 식자하여 하나님께로부터 그 누구보다 더 큰 은혜를 받는다.

김청송은 누가복음 인쇄가 끝나자 곧 로스 목사에게 세례를 요청하였다.

로스는 김청송의 진지한 믿음과 진리에 대한 바른 지식을 확인하고 세례를 베풀었는데, 그가 한국교회 사상 다섯 번째 수세자가 되었다.

1882년 3월 로스는 김청송을 ‘최초로 완성된 복음서를 가진 전도자’ 겸 최초의 권서로 삼았다.

권서사업과 교회설립

일반적으로 성서공회의 권서사업(성서반포)의 목적은 모든 사람에게 단순히 성서를 배달하는 것이 아니라, 성서를 올바로 사용하여 성서의 지식을 얻도록 하는 데 있다. 이를 위해 이용한 부속기관은 성서보급소, 권서, 성서교사 등이었다. 성서보급소는 성서의 보관창고, 판매서점 및 설치된 지방의 전도 중심지 역할을 했다.

권서는 성서 반포의 주역이자, 전도인들이 들어가지 못하는 전국 방방곡곡을 돌아다녔던 전도의 선구자이다. 이들의 엄청난 노력에 대한 이해 없이는 교회사를 제대로 파악할 수 없을 정도이다. 우리나라의 경우 성서교사 제도는 채용되지 않았던 것으로 보인다.

로스는 일단 한글 성경의 반포가 가능한 만주 한인촌을 대상으로 전도하기로 하고, 김청송에게 압록강 이북 백두산 서쪽의 간도지역의 전도를 맡긴다.

영신환을 팔던 그의 발걸음이 '예수셩교'의 신령한 복음을 전하는 아름다운 발걸음이 되었던 것이다.
바보스럽다고 할 정도로 둔하고 센스가 없었던 김청송이었지만, 그의 노력은 성령의 도우심으로 6개월도 가지 않아 결실로 이어졌다.

그에게서 복음서와 전도문서를 받은 이들은 그것을 읽고 또 읽어 그 속에서 진리를 발견했고, 주님을 구주로 믿기로 결심했다.

한인 계곡(Corean Valley)으로 불리는 28개의 한인촌에서 그의 전도로 많은 세례 지원자가 생기게 되었다.

예수를 믿겠다고 고백한 사람들의 수가 수백 명에 이른다니까요.

그의 최초 권서 파송 배후에는 런던의 앳킨슨(Atkinson)에 의한 지원이 뒷받침 되었다.

수많은 세례지원자 중 다수는 '임오군란'과 연관된 자들이었다. 임오군란이란 일본의 후원으로 창설된 신식군대 '별기군'에 밀려 훈련도감에서 해고된 구식군인들이 10개월 이상 연체된 봉급으로 정부가 불량 쌀을 지급하자 반란을 일으킨 사건이다.

1882년 당시 임오군란에서 쿠데타에 실패한
군인들이 압록강을 넘어 만주로 대거 피신을 해온다.

대장! 어디로 튈까요?

일단 강 넘어 간도로 가서 숨는다!

이와 같이 선교의 결실이 있자 김청송은 곧 로스 목사에게 이를 보고하고, 이들에게 세례를 베풀 것을 요청했다.

청송이,
나 예수
믿기로
했네.
이제 어쩌면
되는가?

세례 받고
입교하면 됩니다!

나도 하면 안 되나?

저도요.

그러나 성서번역과 출간에 전념하는 관계로 충분한 여유가 없었던 로스 목사는 김청송의 부탁을 들어줄 수 있는 여유가 없었다.

다시 6개월의 시간이 흘러 김청송의 계속적인 전도사업으로 더 많은 회심자가 생기게 되어 그는 또 사람을 보내 로스 목사에게 부탁했고…

심지어 1884년 가을에는 김청송이 반포하는 로스 성경을 읽은 수많은 집안현 한인들이 진리에 갈급하여 로스를 직접 찾아오는 사건이 발생했다.

로스는 더 이상 방문을 연기할 수 없다고 판단하고 드디어 집안으로 떠나는 세례여행을 감행키로 한다.

1884년 11월 중순 제임스 웹스터(James Webster)를 동반하고 동북만주 산간지대 근처의 집안현을 찾아갔다.

1884

너무 늦게 찾아 와서 미안하오 청송 형제!

어휴! 2년 만에라도 이렇게 와주셨으니 그저 감사할 따름이죠!

'외모, 옷차림, 예절과 언어에 있어서 신사다운 약 12명의 한인 무리'의 대단한 환영을 받으며 그곳에 도착한 로스 일행.

목사님! 나 기억 나시오?
이번에 세례를 꼭 받겠다고 모인 분들 입니다.
로스는 동네 촌장인 한 농부 집에 방문했는데 그 사랑채에는 남자들이 가득 모여 있었다.
와우! 보라! 저들의 뜨거운 신앙의 열기를!
어려운 걸음 해줘서 고맙소 목사 선생!
대단하군요! 그럼 곧바로 요리문답 공부부터 들어가죠!
겨울엔 장로교식 세례가 정말 좋아요. 찬물 속에 안 들어가도 되고..
내가 성부와 성자와 성령의 이름으로 세례를 주노니…
로스와 웹스터의 방문을 계기로 김청송이 뿌린 복음의 결과인 "4촌락에서 모두 75명이 세례를 받고 교회에 입교했다."

조선인에 의해서, 그것도 평신도를 통해 전도받은 '16세 부터 72세 사이'의 75명의 신도들이 복음을 들어 예수를 믿고 세례를 받은 것이다.

로스 일행은 그곳에는 수시로 매서운 눈보라가 몰아친다는 이야기를 전해 듣고 이미 많은 눈이 쌓인 산행을 더 이상 강행할 수 없었다.

존 로스와 제임스 웹스터가 세 번째 촌락에서 복음을 전하고 있을 때, 다른 부락에는 더 많은 신자들이 있다는 사실을 알았지만 엄동설한에 돌아갈 길이 두절될 것을 염려하여 다음 기회에 다시 오기로 약속하고 일단 봉천으로 돌아간다.
청송 형제 내년에 꼭 봅시다!
목사님들 몸 조심하시라요! 날씨가 따뜻해지면 꼭 다시 오시라요!
로스 목사가 보낸 1884년의 한 보고서에 따르면 이미 세례를 받은 사람들을 제외하고도 한인 부락에서 세례 받기를 원하는 사람이 600명이나 되었다.
이렇게 세례교인들로 이뤄진 한인 최초의 개신교회가 고조선의 중심지이자 고구려의 수도였던 집안현 이양자에 설립되었다.
미국 의료선교사 알렌이 조선 땅을 처음 밟은 1884년, 만주 간도의 한인촌에는 이미 교회가 존재했다는 것이죠.
세례교인 75명의 이양자 교회!

로스는 이듬해 1885년 여름, 다시 그곳을 방문했으나…

참 이상하네요. 무슨 일이 있었나?

목사님 오셨어요?

이전과 같은 환대를 받지는 못했다.

동네 분위기가 영 썰렁하네요 목사님.

1885년의 한 보고서에 의하면, 산간지대의 한인들이 선교사들과 접촉하며 신앙의 공동체를 이루자 그곳에 거주하는 중국인들이 한국인 신자들과 외국인이 공모하여 중국인을 해치지 않을까 의심한 나머지 한국인들을 박해하기 시작한 것이다.

중국사람들 박해가 심해지면서 신청자가 확 줄었지만 그래도 25명이 목사님께 세례 받기를 원하고 있습니다.

고생이 많구려 청송 형제. 영국성서공회에서 권서 한 명을 더 지원해준다고 하니, 앞으로 힘든 짐을 나누어 지도록 해요.

중국깡패인줄 알았는데 선교사님이네!

헬로~? 안심 하세요.

1885년에는 25명이 더 세례를 받아 집안현에 있는 기독교 공동체는 순수 세례교인만 100명으로 불어났다. 언더우드와 아펜젤러가 입국하던 그때, 이미 서간도의 한인교회에는 100명이나 되는 교회의 공동체가 있었던 것이다.

1886년 로스 목사의 증언: “이 사업은
아직도 압록강변에서 계속적으로
확장되고 있다. 이 교회가 자라서 수년 안에는
모국에 복음을 전파하여 조선 전체가
복음화될 것을 기대해 마지않는다. 이로써
저들의 말로 만들어진 복음서와 전도문서의
영향력이 매우 크다는 것을 짐작하게 한다.”

할렐루야! 하나님은
살아 계신다! 하나님이
하신 일입니다!

로스와 함께 선교 여행에 참여했던 제임스
웹스터의 증언: “그들의 복음에 대한 훌륭한
이해와 신앙은 결코 인위적인 것으로 볼 수
없다. 그리고 이 골짜기들에 시작된 하나님의
위대한 사업은 조선을 복음화하는 방법이
무엇인지를 잘 시사해 주고 있다.”

집안현의 복음 전도는 그곳 중국인들의 방해로 어려움을 받기도 했지만, 김청송의 복음의 열정과 복음을 전해 받은 이들의 순수한 신앙, 그리고 끊임없는 로스 목사의 후원과 지도로 놀랍게 결실을 맺기 시작한 것이다.

서간도 한인촌에 설립된 최초의 한인 교회는 자신들만의 신앙 공동체로 끝나지 않고 선교사역을 놀랍게 감당했다.

3장: 한글성경 밀반입 작전

김청송에 의해 서간도 복음화가 진행되었다면,
백홍준과 이성하는 조선땅 의주 지역의 복음화에 일조하고 있었다.

1883년 이성하는 권서로 의주에 잠입하여 말로 복음을 전하다 성경의 필요성을 절감하고 중국에 다시 들어가 엄청난 제안을 한다.

1883년

목사님. 복음서 몇백 권만 주십시오!
제가 조선에 가지고 들어가겠습니다.
몇백 권? 한 10권 부터
시작해라 해! 무식하면
용감하다더니 그 말이 맞다 해!
백 형제도 지금은 좀
무리라고 하던데 괜찮겠소?
너무 위험하지 않을까요?
하하하
걱정들
붙들어 매어
놓으세요!
위험하면 그냥
돌아와!
조심하시오
이성하 형제!

저기 고려문이 보이는구나!

덜덜덜

덜덜덜

그런데 왜 갑자기 떨리지? 너도 춥니 나귀야?

왜 덜덜 떠는 거지? 이 인간? 수상한 거야? 뭐야?

저건 너무 떠는데… 학질 환자인가?

야! 너! 빨리 가! 그냥 통과! 빨리!

후 덜덜

후덜덜! 나귀야! 나 지금 떨고 있냐?

무서워! 우리 엄마도 학질로 돌아 가셨단 말이야!

고려문(책문)을 어렵사리 통과한 이성하, 다음 관문인 압록강으로 향한다.

압록강에 도착한 이성하. 의주로 들어가는 경비가 너무나도 삼엄하여 도저히 강을 건널 엄두가 나지 않았다.

이성하는 압록강
연안의 구련성에
있는 중국인
여관에 묵기로 한다.
九連城
旅館
어서
오라 해!
경치는
좋구먼…
따뜻한 차 더 줄까?
무슨 고민 있냐 해?
주인장, 내가
의주 갔다 봉천
다녀올 건데…
내가 돌아 올 때까지
여기에 이 책들
좀 맡기고
가도 되겠소?
찾으러 다시
오기만 하면
문제될 거
없다 해!

이성하는 봉천에서 가져온 성경을 구련성에 있는 중국인 여관에 맡겨 놓고 다음 기회를 보기로 하고 의주로 돌아온다.

그러나 다음에도 역시 엄중한 국경경비 때문에 도강을 못하고 마는 이성하…

가져온
성경을
또 다시
구련성의
중국여관에
쌓아둔다.
한 번만 더
부탁해요!
그 다음에도
또 도강 실패!
성경 책만
자꾸 쌓아
놓게 된다.
아예
서점을 차릴
생각이냐 해?
한도 없이
쌓여만 가는
성경 책을
보고 주인장의
인내심도
한계에
다다르게
된다!
참는 자에게
복이
있나니…

악순환 구조: 1.봉천에서 가져온 복음서들이 압록강을 넘지 못하고 구련성 여관에 쌓이기를 몇 차례 반복하니 여관에 상당 분량의 성경이 쌓였다!

2. 이성하가 많은 양의 복음서를 배달하고 있는 것으로 안다.

(심양)
봉천

영구
(우장)

3. 이성하는 더더욱 어찌 할 바를 모르게 되고…

압록강

고려문

의주

구련성

5. 여관 주인의 화는 폭발하고!

4. 의주에서는 하염없이 눈 빠지게 성경을 기다리고…

국경 순찰에 걸릴 것을 두려워한 여관 주인이
이성하에게 속히 성경을 처분할 것을 요구한다.

아직 순교의
용기가 없었던
이성하,
눈물을 흘리며
끝내 성경책을
압록강에 버리고
만다.

엉엉 주여! 이게 어떻게 만든 책인데…
강에다 그냥 버리면 어떡하냐 해? 그러다 걸리면 책임질래?
풍덩! 첨벙!
이런 걸 내가 다 해줘야 하냐 해? 이렇게 쌓고 기름 붓고 그리고…
주여 저 같은 놈은 태어나질 말았어야…
그만 질질 짜고 불 붙여라 해!
콸콸콸

성경을 불에 태우고 만다.

그리고 성경을 태운 재를 압록강에 버린다.

그리고는 심양으로 돌아가…

그간의 소식을 울며 로스 목사에게 보고하는 이성하…

사실 여태껏 단 한 권도 의주로 가지고 가지 못했습다. 그러다 결국 여관주인이 윽박지르는 바람에…

하… 저런

결국은 몽땅… 다 태워서… 압록강에… 재를… 엉엉… 뿌렸습니다… 죽을 죄를 졌습니다. 목사님…

엉-엉

목사님…
나 같은 놈은
천국 가긴 틀린거죠?
엉엉!
이성하 형제. 너무 자책
마시오! 그리고 주님의
사랑을 의심치 마시오!
불가능한 것을 가능케
하시는 분이 하나님이요.
그분께 불가능은 없소!
꺼이 꺼이
성경 투기
소멸소식을 들은
로스 목사는
용기를
잃지 않고
유명한 말을
남긴다.
또 압니까?
주님이 우리의
실패를 통해
어떤 기적을
일으키실지?
우린 이런 때일수록
주님을 신뢰하고
기도해야 합니다!
일어나세요!
"성경을 표백시킨(깨끗하게 씻긴) 물을
마시는 사람마다 생명을 얻게 될 것이며,
성경을 태운 재를 입는(뿌리운) 자마다
(비료가 되리니) 크게 성장하리라"
목사님의
예언이 반드시
이루어질 것을
믿습니다!
아멘!
조선의 교회가
크게 성장하리라
믿어도 될까요?

뒷날 로스 목사의 예언은 10년 만에 그대로 이루어져 압록강 일대에 많은 교회가 세워졌다.

1884년

이성하는 그 후 여러 차례 모험을 통해 국내에 잠입하여 성경을 반포하며 하나님의 복음을 증거 하였지만…

건강이 악화되는 바람에 권서를 사퇴하고
1884년 가을부터 백홍준(白鴻俊)이
그 자리를 대신하게 되었다.
부탁해요. 홍준 형제!
난 몸이 약해져서 안 되겠네. 홍준이 자네가 권서를 해주게나. 로스 목사님도 허락했네.
그럼세. 걱정 말고 몸조리나 잘하게나.
白鴻俊
이제부터 백홍준의 지휘 아래
본격적인 한글성경 밀반입
작전이 드디어 시작된다.

성경은 배달되길 기다리고 있어요! 우리에겐 발상의 전환이 필요해요! 성경을 밀반입할 묘안을 짜내 봅시다!

제게 좋은 생각이 있어요!

밀무역 경험을 써도 되나?

성경을 한 장씩 뜯어내 돌돌
말아 종이 새끼를 만든 다음
짚신을 꾸러미로 만들어서
가지고 들어오는 겁니다!
시험해
보죠!
나중에 다시 펴서 책을 만들기가
불편한 게 흠이긴 한데…
그냥 새끼줄로
위장해도 되고…

막상 해보니까 투자하는 시간에 대비해서 나를 수 있는 책의 양이 너무 적어 비효율적이라 판단했습니다.
아쉽네요. 절대 안 걸리는 걸로는 백점인데…
또 구겨진 책 종이 펴는데 여간 고생이 아니었어요!
그냥 새끼줄 만든 건 운반용이라도 써주세요…
백 형제 아주 기가 막힌 생각이 떠올랐어요!
날래 설명해 보시라요!
'책을 껍데기만 보고 판단하지 마라'는 서양속담을 역으로 이용한 거야요!
中国史

일단 위장용 다른 책을
대량으로 구입해서 안에
내용물을 쏙 뺍니다!

그 책 껍데기에 우리
한글 성경을 쏙 끼워서
제본하는 거지요!

대박!
그걸로
합시다!

이 방법이 최고야!
다른 책처럼 보이게 겉 포장만
달리 바꿔 치기 한 줄
누가 알았어?

저절로 힘이 솟네!
형제들 빨리 합시다!

과감하면서
동시에 대량 운반이
가능한 성경
밀반입의
신기술이라고나 할까?

드디어
대량 운반
당일!
형제님들! 기죽지
마시고 당당하게
운반하시오! 우린
명목상 허가 받은
중국 책들 수입하고
있는 중이니까요!

일단정지!
수입 품목이
뭐요?
중국 서적이요!
中国史

이런 식으로
별 사고 없이
수백 권의
복음서가 의주로
흘러 들어갔다.
통과!
이상 무!
통과!
역시 잔머리로
준비하고
깡다구로 밀어
붙이는 게
최고라니까.
멍멍!

그러던 중 로스로부터 몇십 권의 복음서와 기독교 서적을 가져가던 한 개종자가 사고를 당해 투옥당하는 사건이 벌어진다.
웬 안 하던 짓?
잠시 검문이 있겠습니다.
오히려 이 사건을 백홍준은 성경 밀반입에 획기적인 전환점으로 삼게 된다.
이제부터는 더욱더 완벽한 작전으로 바꾸어 실행합시다.
전화위복?

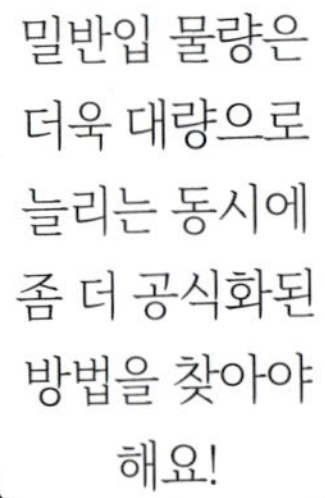

조선 상인들은 봉천으로 와서 청나라 정부의 관용 고지(古紙=폐지)를 정기적으로 무역하며, 인부를 동원하여 조선으로 대량 운반하고 있었다.

저 사업을 우리가 따낼까!

고지 값 더 주라 해.

그럴 필요 없어요! 저 상인이 바로 제 친구입니다.

대인! 우리도 남는 거 없어요!

인쇄된 복음서를 제본하지 않은 채로 청나라의
관용 고지 더미 속에 섞어 버리는 방법을 쓰기 시작한다.

이 기막힌 방법으로 한글성경이 조선 땅에 대량으로 유입되기 시작한 것이다!
뭘 들여다봐요? 청나라 관용 고지 잖아요 하하!
알아! 그래도 검색하는 시늉은 해야지!
절대 잡힐 리가 없지.
멍멍

자 복음서를 차례대로 맞춰서 제본을 해봅시다.
못 찾고 빠진 쪽들도 꽤 되는데 어쩌죠?
그냥 놔둬요. 어차피 다 읽히게 될 거니까!
일일이 찾아서 다시 책 만드는 게 귀찮긴 하지만 대량 반입할 수 있어 좋군.
책에서 빠진 쪽은 나중에 베껴 써서 제본하고, 못 찾은 쪽은 신경 쓰지 말아요!

이렇게 유입된 미제본 복음서 낱장이 '편견과 두려움이 세워놓은 장벽'을 넘어, 창문 창호지로 장식된다.

창호지가 되어 발라진 한글성경 미제본 낱장들은 집을 드나드는 자들에게 읽히게 되었는데…

아부지 한글은 나도 읽을 수 있어요!
우리 같은 사람도 대접받는다 그런 소리 같은데요?
"사람들이 동서남북으로부터 와서 하나님의 나라 잔치에 참석하리니…"
묘하게 기분이 따스해지는 말이네요. 왜지?
"보라 나중 된 자가 먼저 될 자도 있고 먼저 된 자로서 나중 될 자도 있느니라…" 아니 이게 뭔 말이야?
사실 그 복음서 낱장은 공허한 조선인의 가슴에 한 장씩 한 장씩 풀칠 되기 시작했던 것이죠.
나중에 알고 보니 그것이 하나님의 말씀이었다는 것이지! 어쩐지 말씀이 좋더라고…
복음
福音
제 구멍 난 가슴도 메워주세요 선상님!

그 후에도 몇 차례에 걸쳐 다량의 한글성서를 고지 속에 넣어서 국경을 넘는 데 성공한 백홍준은 자기의 고향 의주를 중심으로 복음을 증거 하기 시작한다.

저요! 하나님이 지으신 겁니다!

要理問答班

의주에서 백홍준이 요리문답반을 운영하면서 신자들이 더욱 증가하였고

질문: 천지만물이 어떻게 생긴 거죠?

1885년에는 약 18명의 신자들이
백홍준의 집에 모여 예배를 드리기 시작한다.

이성하를 대신하여 권서로 임명된 백홍준은 그 후 언더우드의 첫 조사 가운데 한 사람으로 임명 받아 의주 지역의 복음의 확장에 큰 기여를 했다.

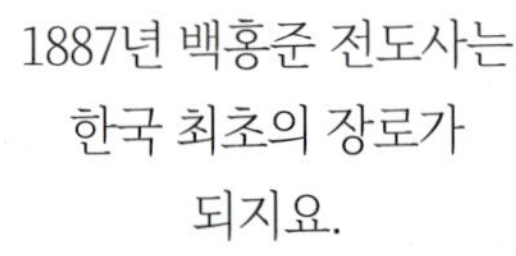

4장: 소래교회와 서울 전도

서상륜은 1882년 4월에
로스로부터 세례를 받고
여섯 번째 수세자가 되었다.

그는 이후 6개월간 봉천에서
성경 사역을 도우면서
권서로서의 훈련을 받았다.

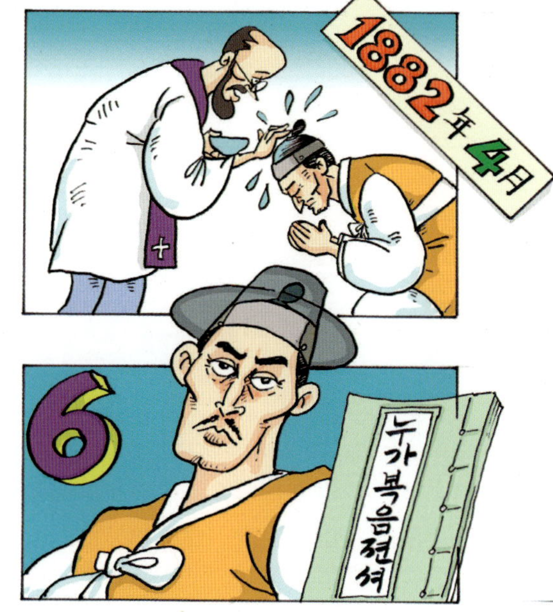

바로 이때 요한복음도
출간되었다.

1882년 10월
6일 대영성서
공회(BFBS)의
한국 최초의
권서로 서상륜을
공식 임명한 뒤,
조선 땅 의주로
파송한다!

1882년 10월

로스 목사는 서상륜이 전도인의 임무를 완벽하게 수행할 수 있도록 훈련 시킨 뒤…

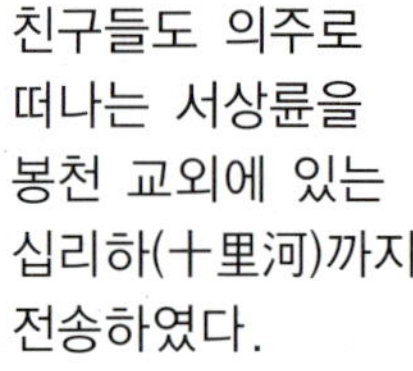

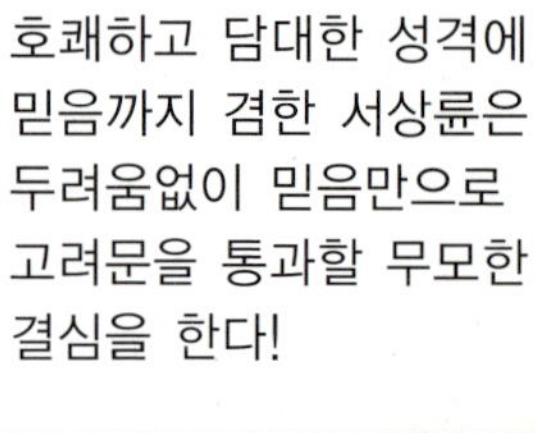

후에 그는 이 당시 일을 다음과 같이 증언했다.

“나는 두렵지 않았고 나를 인도하시는 하나님의 능력을 믿었을 뿐입니다”

마침내 고려문에 도착한 서상륜!

서상륜은 중국 관원의 불심 검문에 걸렸고…
잠깐 짐 좀 보자 해!
이러면 이야기가 틀리는데…
이거 뭐냐? 어이 조선 관원들! 여기 이상한 책 있다 해!
이거 안 놔?
어디에 대고 눈 부라리냐 해?
금서인 성경이 발각되고 만다.

그리고
예측하였던 대로
절망적인
상황에
직면하게 된다.

너 바보냐? 무식한 거냐?

아니 이거 성경 아니야? 그것도 한글로 찍었어? 너 죽고 싶었구나. 이런 걸 그냥 가지고 오다니… 잡아 쳐 넣어!

성경은 압수되고, 서상륜은 투옥되었다. 그가 예상할 수 있는 일은 죄인으로 압송되어 능지처참을 당하는 비극 뿐이었다.

그러나 예루살렘 감옥에 갇힌 베드로를 구출한 주님은 (행12:1-19) 조선 복음화의 위대한 사명으로 입국하던 그를 별정소의 옥중에 그대로 두지 않으시고 기적적으로 구출해 내실 계획을 가지고 계셨다.

내 어찌 주님의 뜻을 다 알겠는가?
주님 뜻대로 하옵소서!
종은 그저 순종합니다!

이보게 저 사람
우리가 잘 아는 고향
형님 아닌가?

저게 누구야?
먼 친척 서상륜
형님이잖아?

천련이,
빨리 가서 말 두 필만
준비해 놓게나.
오늘 밤에 빼돌리지
않으면 형님은 죽은
목숨이네!

하나님이 예루살렘 감옥에 갇힌 베드로를 구출한 사도행전의 기적이 1800여 년이 지나 만주 땅 고려문에서 일어나고 있는 순간이었다!

상륜이 형님!
일어나세요!
저 김효순
입니다.
저 알아
보시겠어요?
어? 이게
누군가?
김효순이
아닌가?
자네가 여기서
뭐하는 겐가?

천련이하고 제가 의정부 집사로
이곳 별정소 관리로 나와 일하고 있습네다.
일단 형님 피하셔야 합네다!
빨리 말 타고
도망가세요!
오! 주님!

감옥을 빠져 나온 서상륜은 김효순의
안내를 받으며 밤새 말을 달려 국경을 넘는다!

이게 바로 영광의
탈출이지!

이랴!

끼랴끼랴!

다닥!

우다다다다

다닥!

우다다다

별정소에 압수 당한 책들을 제발 좀 가져다 줄 수 없겠는가? 내겐 목숨처럼 중요한 물건일세.

헉! 이런 숨막히는 순간에도 일 걱정?

어쨌든 대단한 사명감이네요…

김효순은 두말 않고 말머리를 돌려 고려문을 향해 달음질쳤다.

후에 김효순은 당시 상황을 이렇게 회고했다. "그 때 형님이 옳은 일을 하고 있다는 것을 알았고, 그래서 결과를 고려치 않고 저도 앞만 보고 나아갔던 것 뿐이었습니다."

며칠 후 김효순이 서상륜을 다시 찾아와서
10여 권의 쪽복음서를 옷 속에서 꺼내놓았다.

상륜아 무슨 일이냐?

형님, 이게 제가 가져올 수 있는 전부야요. 그리고 몸 조심 하시요.

고맙네 동생. 복 받을 걸세!

서상륜은 지금까지 일어난 모든 일들을 할머니와 동생 경조에게 말하고 자신은 황해도 봉대로 내려가 은신할 거라고 알려준다.
다 예수님 일 하다 생긴 일이군요. 형님 대단해요!
제가 평안하게 고향으로 돌아온 것이 아니라, 탈옥 도주하여 죄인으로 돌아온 겁니다. 관가에서 곧 절 잡으려고 수색할거에요.
일단 황해도 봉대에 있는 외육촌 집에 몸을 숨길 겁니다. 할머니.
어쨌든 몸조심 하라우!
그래요 형님 살펴 가시요. 나도 곧 내려가 주님 일 도우리다!
경조야! 속히 가산을 정리하여 할머니를 모시고 봉대로 내려와라!
예수란 분이 대단한 분인가 보네. 네 형이 저리 열심인 걸 보니…

서상륜은 자신의 몸을 의탁하려 외육촌이 사는 황해도 장연군 대구면 구미리에 있는 봉대로 간다.

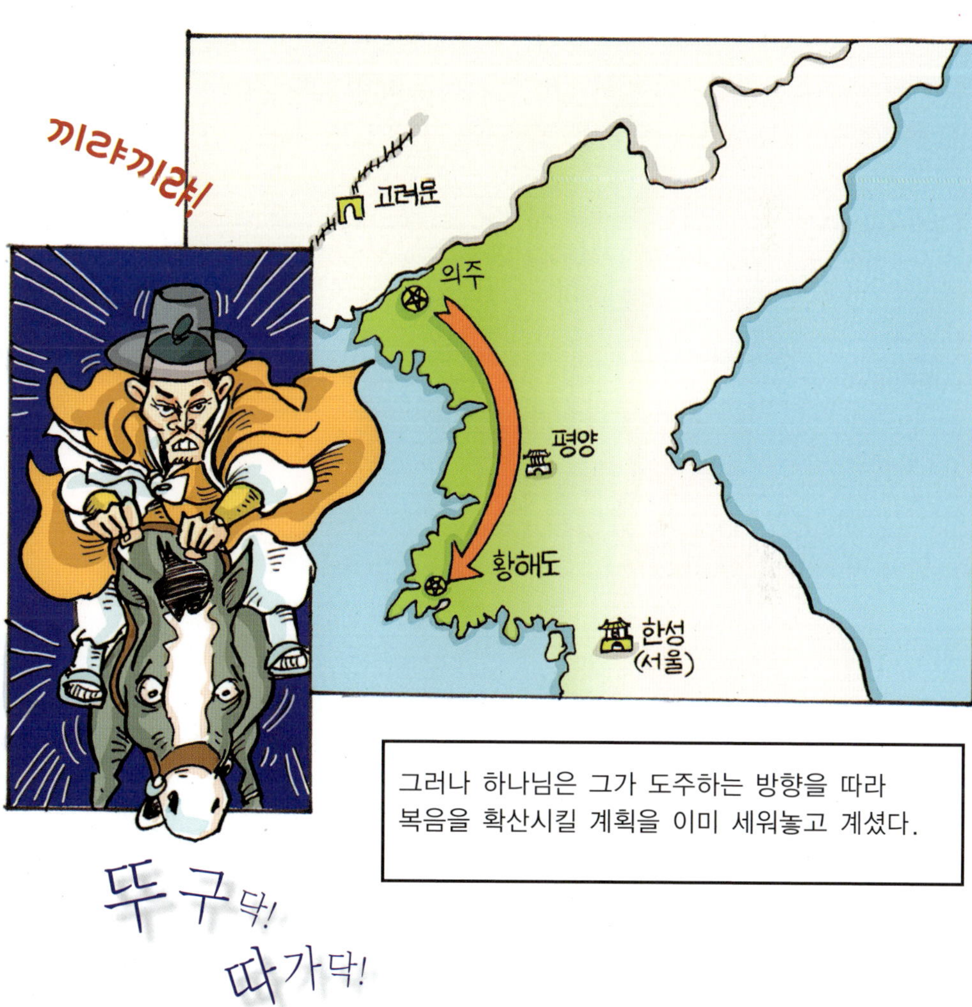

그러나 하나님은 그가 도주하는 방향을 따라 복음을 확산시킬 계획을 이미 세워놓고 계셨다.

황해도 장연군 대구면 소래의 본래 이름은 '솔샘'이었다. 소나무와 샘이 많아 붙여진 이름이다. 솔샘의 한문표기는 松泉(송천), 후에 일본인들에 의해 송천이 솔내(松川)가 되고, 다시 음운현상에 의해 '소래'로 바뀐 것이다. 소래는 결코 번화한 곳이 아니었다. 하지만 그 이름에서도 알 수 있듯이, 소나무로 둘러싸여 평화로우면서도 농사를 지을 물이 풍부해 곡식이 알알이 잘 여무는 풍요로운 고장이었다 한다.

그리고 김윤방의 도움을 받아 소래에서 복음도 전하고 생활의 기반도 잡게 되면서 몇 명의 결신자와 함께 성경공부를 하게 되었다.

그렇게 서상륜이 힘써 전도한 결과 몇 달 후에는 18명의 결신자를 얻게 되었고, 드디어 1883년 5월 16일부터 관가의 눈을 피해 은밀한 장소에서 주일마다 예배를 드리게 되었다.

1883년 5월16일

이것이 소래교회의 시작이며 서상륜의 일차적 소원이 달성되는 사건이었다.

1883년 조선 땅에서 최초로 외부의 도움 없이 소래교회가 세워진 것이다.

그러나 소래교회 설립이 그의 사역에 있어 전부일 수는 없었다. 그것은 단지 시작에 불과한 것이었다.

1883년 봄: 서상륜 서울 전도 시작!

물론 그의 전도는 비밀리에 진행되었는데, 여기에도 난관은 있었다. 그 중 최대의 어려움은 전도의 절대 수단이 되는 성경이 부족하다는 것이다.

서상륜은 가지고 있는 복음서가 턱없이 부족해 비밀리에 로스 목사에게 성서를 보내 달라는 편지를 보낸다.

이에 로스는 1883년 봄에 김청송을 통하여 수백 권의 성경을 전달한다.

와! 청송 형제, 성경 배달은 총알같이 빠르네요.
서울을 복음으로 공략하신다는데 총알이 없으면 되갔시요? 내레 부리나케 달려왔죠!
고마워요! 간도에서 전도는 잘 되고 있다면서요?
내가 뭐 한 게 있나요? 다 하나님이 하신 거죠. 하하 성경을 지원받은 서상륜이 활기차게 전도한 제 1차 대상자들은 서울에서 상업을 하는 고향 친구들이었다.

이들에게 복음서를 나누어주면서 전도한 결과, 즉시 성과가 나타났고 그 해에 친구 중 13명이 개종할 뜻을 밝히게 된다.

이 감격스런 소식은 곧 로스 목사에게 전달되었고, 속히 서울로 와 그들에게 세례를 주고 교회를 세워 줄 것을 요청하였으나…

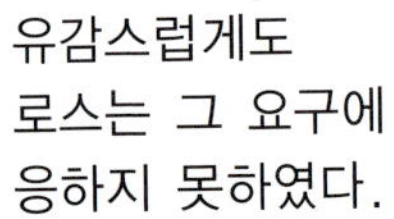
유감스럽게도
로스는 그 요구에
응하지 못하였다.

너무 바빠서
봉천을 떠날 수 없어요.
冬至使
대신에 봉천을 지나가는 조선 북경사절단에게
성경을 전달하려고 복음서 200권을 따로
준비해 전달하겠습니다!

이와 같이 문광서원에서 인쇄한
6천 권의 복음서 (누가복음
3000권 + 요한복음 3000권)가
1883년 8월에는 거의 다
배포될 수 있었다.
COLUMBIA
DEMY
감사합니다 주님!
속히 재판을 찍고,
다른 성경도 번역을 완료해
출간 하도록 하겠습니다!

재판을 인쇄한 로스 목사는 1884년 봄, 한글 성경 누가복음과 요한복음, 한문성경을 합쳐 총 6천 권의 성경을 상해를 경유하여 중국인 상인 편으로 보낸다.

그러나 이 많은 성경은 인천 세관에서 적발되고 만다.

금서가 은밀히 국내로 대량 반입되려다 적발되자
인천 세관과 정부에는 초비상이 걸렸다!

이 책을 인수하게 될 서상륜은
다시 생명의 위협을 받게 된다.
당시 인천 세관 책임자는
목 참판이라 불리던
독일인 묄렌도르프였다.

외무협판(차관급)으로 있는 묄렌도르프(Paul G. Von Mőllrendorff: 한국명 목인덕 穆仁德 1848-1901)는 할레 대학을 졸업한 독일인으로, 구한말 정부의 외교고문이었다.

청국 주재 독일 영사관에 근무 중 청국의 실력자 북양대신 이홍장(李鴻章)의 추천으로 내한, 총리아문협판에 부임(1882. 11) 후 3년 간 고종의 신임을 받으며 권력을 향유했다.

후에 그는 정적 김옥균이 일으킨 갑신정변(1884) 당시 수구파에 협력해 민영익을 살려냈으며, 한독수호조약(1884.5)을 수립했으나, 조선과 러시아 간의 비밀조약에 관여했다가 배신감을 느낀 이홍장의 노여움을 사 1885년 중국의 압력으로 인해 해임되어 중국으로 돌아간다.

목사님 큰일났다.
몽땅 걸렸다 해!

서상륜 형제도
위험해질 텐데 무슨
방법이 없겠소?

인천세관 담당이
묄렌도르프라는
독일인인데
소문으로는 철저한
반기독교적
인물이래요.

오 주여!

6천 권의
성경이 인천세관에서
적발되었다는 소식은
로스 목사에게도
전달되었다.

그런데 그 사람 부인 로즐린은 전도에
관심이 많은 매우 독실한 개신교인이라는데요?

로스 목사의 특별 서신은
묄렌도르프의 부인
로즐린에게 초고속
배달되었고,

로즐린 여사님!
만주에서 급행
등기 속달
편지가 왔어요!

어머머!
선교사도 없던
조선에서
이런 기적이
있었다니!

로즐린은
이 편지를
받고 감명받아
서상륜을
돕기로
결심한다!

한글 성경도 번역되었고
신자도 이미 있다니!
그럼 나도 꼭 도와야지!

조사 결과
성경의 수취인은
서상륜이란 자였습니다!
발칙한 자로군! 어서 체포해서
이번 기회에 성경 밀수
조직을 뿌리뽑읍시다!
아니
저 양반이?
여보!
나 좀 봐요!

오! 마님
성깔 있네.
음음 여보,
부하직원도 있는데…
아니 폴! 당신이 세계 선교의 주역인 할레대학
출신이란 것을 잊었나요? 주님 일을 돕지 못할
망정 방해나 하다니 창피하지도 않아요?
부들부들

당신도 어렸을 때는 교회도
잘 나가고 했잖아요. 그런데
이젠 사탄의 앞잡이
노릇을 하면 어떡해요?
눈이 있으면 보세요! 조선 땅에 선교사
한 명이 없는데도 이미 조선어 성경이 나왔고
신자도 수두룩하대요! 이게 바로 하나님이
살아계신다는 증거가 아니고 뭐겠어요?
제발 하나님 일을 방해는 하지 말아요!
난 그런 당신하고 살 수 없을 것 같아요!
알겠어 알겠어! 그 성경을
다 서상륜이란 자에게
돌려주면 되지?

결국 묄렌도르프 부부의 도움으로 서상륜은 감옥행을 면하였을 뿐 아니라 귀중한 성경책 상자를 모두 인수하게 된다.

로스 목사가 보낸 6천 권의 성경책이 서상륜과 신앙동지들 손에 들어오게 되었다!

이 사건을 계기로 1884년 조선 땅의 중심부인 서울에서는 본격적인 대량 전도가 가능해졌다.

이 성경들은 한국 개신교의 요람지가 되는 서울과 황해도 일대에 대량으로 뿌려지게 된다.

이 당시 진행된 서상륜과 동료들의 전도로 인해 김명선, 김필례, 양주동 같은 한국 기독교의 초기 지도자의 부모가 주님을 영접하게 된다.

사실 이 성경 6천부 무사 배포 사건은
서울 전도에 기폭제 역할을 한 사건이었다.

역전
만루홈런이
터진 것
같은…

서상륜

4

깡-!

1885년에도 서상륜은 다시 편지를 로스 목사에게 보내어 세례 지원자가 79명으로 증가된 사실을 보고하며 내한할 것을 간청하였으나 이 때도 역시 뜻을 이루지 못한다.

제발
목사님…

1885年

79名

목사님
본업무
우선!
본부지시
아시죠?

간도의
청송 형제에게도
가셨으니
서울에도 이제
가봐야 되는 거
아니에요?

나 이거 참 난감하네…

로스는 당시 상황을 후에 이렇게 회고했다.
"그때는 한 유럽인이 은둔의 나라에 입국할 수 있는 허락을 받기도 힘들었고, 받았다고 하더라도 나 자신이 해외여행에 필요한 긴 시간을 내기는 불가능한 형편이었다."

각국 교단의 이해관계가 복잡하게 얽혀 로스의 방한은 1887년까지 미뤄지지만, 그 동안 만주 영구와 심양에서 출발하여, 간도의 한인계곡과 의주, 평북 지역을 거쳐, 평양과 황해도 그리고 서울로 이어지는 북방선교 루트가 완성된다.

북방선교 루트 완성되다!

5장: 외국인 권서활동과 선교사 내한

고종의 총애를 받았던 묄렌도르프는
청-일 간의 조선장악 각축전을 견제하려
러시아와 수교를 주선하고 당오전을 발행해
재정문제를 해결하려 시도하나 김옥균 등
개화파와 심각한 의견 충돌을 일으킨다!
조선의 구세주 당오전!
당오전은 재정파탄 일으킬 악화다!
차라리 일본으로부터 차관을 얻는 것이 유리하다!
典 五 當 一
1884년
청나라 앞잡이들 죽여라!
김옥균이 돌았나? 내 재정정책이 실패했다고 총칼을 들고 덤벼들어?

1884년 12월 4일 우정국(중앙우체국) 낙성식을 계기로 개화파가 쿠테타를 일으켰다: 갑신정변 발발!

甲申政變: 갑신정변
三日天下: 삼일천하

정변 당시 민영익이 큰 부상을 입자,
그 해 가을에 최초의 미국 선교사로 입국했던
알렌이 묄렌도르프의 주선으로 민영익에게
동맥수술을 해주어 목숨을 구해낸다.

고종은 그 감사의 뜻으로 알렌에게
한국 최초의 병원인 광혜원
(후에 제중원)을 설립하게 해준다.

수술 한번 잘해서 내 팔자도 고치고,
선교의 문도 공식적으로 열린다고?
하나님께서 일 하시는 방식이란!

목 참판이 소개한
미국 의사 양반 참 용하네!
끊어진 핏줄을 연결했대!

한국 최초의 미국 선교사 알렌의 공식입국이 가능했던 건 그보다 2년 전이었던 1882년 5월에 체결된 미국과의 조미수호통상조약 덕분이었다.

일본의 조선 진출을 막고 청나라가 계속 종주국 노릇을 하려면 미국 같은 구미 열강과 관계를 맺게 해야지!

조선 조정에 한 자리 마련 해주시고 안심하고 원격조정하세요.

2년전

일본보다 중국을 통해야 했군.

미국 선교사가 제일 먼저 조선에 발을 들여놓을 수 있었던 이유…

청나라와 수차례 조율 끝에 1884년 음력 3월 청의 사신 마건창과 함께 미국의 슈펠트 제독이 인천에 도착, 조선과 통상조약을 체결한다.

1882년

Korea랑 USA의 근대사
인연, 시작해 봅시다!

조미수호통상조약

악연이 아니길
진심으로 바라오!

미국 대표: 로버트 슈펠트 제독

조선 대표: 신헌

조선이 서양제국과 맺은 최초의 조약은 중국에 있는 선교사들을 자극하였고, 조선 선교에 대한 관심을 한층 고조시켰다.

최초의 한글 성경 발행이
조미조약 체결과 거의
동시에 이루어졌네요.

〈예수셩교 요안네 복음젼셔〉의 출간

이 당시가 바로 요한복음이
완료되어 출간될
때였습니다.

누가복음에 이어 1882년 5월 12일 두 번째 복음서인 요한복음 3,000부가 출간되었다.

특기할 것은 누가복음과는 달리 3천 부 중 1천 부는 서울말로 인쇄했다는 것이었다.

태초에 말씀이 계시니라 이 말씀이 하나님과 함께 계셨으니 이 말씀은 곧 하나님이시니라 / 그가 태초에 하나님과 함께 계셨고 / 만물이 그로 말미암아 지은 바 되었으니 지은 것이 하나도 그가 없이는 된 것이 없느니라 / 그 안에 생명이 있었으니 이 생명은 사람들의 빛이라 / 빛이 어둠에 비치되 어둠이 깨닫지 못하더라 (요1:1-5)

또 복음서 뒤에는
'강명편'(講名篇)이라
하여 조선인에게
생소한 단어들을
간단히 설명해놓았다.

밥팀네 : 예수교에드넌법이니
물로써하너니라

할네 : 예수젼에유대국교에
드는법인데시조압라함이셔
운바라

이런 단어의 음가는 한문성경보다
훨씬 원어 헬라어 성경 발음에
가까운 것이었죠.

이밖에 사밧일(Sabbath day), 넘넌절(Passover Feast), 쟝막절, 유대, 예루사렴, 셩뎐, 사마랴, 가니내(Gallilee), 로마, 예수, 키리수토(Christ), 발이사(Pharisees), 사투긔(Sadducees), 제사장, 피덜(Peter), 랍비, 사탄, 별시불(Beelzebul) 등의 용어들도 설명해놓고 있다.

1882년 9월, 두 복음서의 인쇄비 95파운드를 지불하는 데서부터 NBSS(스코틀랜드 성서공회)의 만주 성경사업은 BFBS(대영성서공회)로 넘어왔고, 이로써 한국의 성경사업은 1883년 BFBS의 북중국 지부에서 관할하게 되었다.

톰슨은 일본인 신자로 권서를 삼아
조선의 개항장인 부산·원산항에
있는 일본인 거류지를 거점으로
성경보급소를 개설할 계획을 세웠다.

그러나 만주의 성경사업을 BFBS로 넘겨준 NBSS(스코틀랜드 성서공회)는 한국선교에 여전히 관심을 가지고 권서 사업을 추진하였다

1882년 6월 로스는 NBSS와의 계약대로 첫 발간된 책 중에서 1,000부의 요한복음과 앞서 나온 누가복음 1,000부를 약 3천 권의 소책자와 함께 일본의 톰슨(Thomson) 총무에게 보냈다.

나가사카(長坂, Nagasaka)의 권서사업

톰슨 총무는 2달 간의 예비답사를 위해
1883년 6월 11일 나가사카를 권서로 파송 한다.
나가사카는 조선에 성경을 가지고 상륙한 최초의
기독교인으로 신학 과정을 마친 유능한 사업가였다.

나가사카는 한국어 성경 외에도 다량의 일본어 성경을 가지고 시모노세키에서 부산행 연락선을 기다렸으나 시간이 맞지 않아 일본 군함 이와키켄(岩木縣)호에 오르게 되었다.

1883년 6월

나가사카는
일본 영사를 통해
한국 관리를 만났으며

성공적인 성경배부와 탐사를 마치고 8월에 일본으로 돌아왔다.

성경보급소 설치 적격 후보지 1순위 부산! 2순위 대구!

이에 톰슨은 재파견을 요청했고 NBSS본부의 서구위원회는 2명 이하의 권서를 조선에 다시 파송토록 허락했다.

준비된 자 2명만 찾습니다!

조선 전도가 꿈이오!

감리교도 OK?

톰슨이 2차 파송을 준비하는 사이에 서울에서 전도하던 중국인 병사가 순교하는 사건이 벌어진다.

중국인 병사 권서사역

이 사역은 산동 반도 지푸에서 윌리엄슨의 대리로 NBSS 일을 맡고 있던 미국선교사 다우드웨이트 (A. W. Douthwaite)와 깊은 관련이 있었죠.

다우드웨이트는 1883년 10월에 다량의 로스역 복음서를 가지고 조선을 방문하여 권서사업의 가능성을 타진했다.

자, 여러분들 말로 된 재미있는 생명의 책입니다! 전 화끈한 미국 사나이라서 돈도 안받아요 공짜요 공짜!
백주 대낮에 무슨 짓이냐? 불온서적 반포를 중단하라!
아저씨 너무 재밌당!
죽고 싶어?
그리고 외국인의 조선 내지여행은 불가능했으며..
서울 밖으로 좀 나가고 싶다니까! 조용히 다닐게요!
안돼! 절대불가! 어림도 없다!
서울 안에서도 너희 코쟁이들 통제하느라 힘든데 어딜 돌아다녀?
아, 정말 조선에는 한양만 있냐고요? 평양, 부산, 원산 이런데 구경 좀 합시다!
또 중국인 신자 1명은 성경을 반포하다가 투옥되었고, 1명은 효수되었다고 보고했다.

여기서 그가 말한 중국인 신자란, 임오군란을 진압하기 위해 1883년 9월에 파견된 원세계의 호위병이었던 기독교 신자들이었다.

나중에 마지막 황제 푸이를 쫓아내 청나라를 멸망시킨 원세개(袁世凱)(위안스카이: 1859~1916)는 구한말 조선정치에 많은 간섭을 했다. 이후 중화제국 황제(1915년 12월 12일~1916년 3월 22일)를 칭하다 포기한다.

여러 가지로 조선 관원의 제재를 당한 다우트웨이트는 우연히 만난 중국인 병사 신자들을 통해 한글성경을 반포하는 일을 도모한다.

이 두 명의 중국병사 신자들은 다우드웨이트에게서 받은 성경을 마구 배포하여 서울에서 담대하게 노방전도를 하고 다녔다!

이 둘은 현장에서 체포되어 사형이 구형되었다.

그러나 당시 조선정부의 외교고문이자 이 병사의 상관이었던 마건충(馬建忠)이 기독교 신자였으므로 그가 병사의 석방을 요구하며 오랫동안 교섭을 벌인 결과 한 명의 생명은 구할 수 있었다.

그래도 한 명은 죽여야지! 망나니의 칼을 받아랏!

조선에서 1883년 가을에 겪은 충격적인 사건을
다우트웨이트는 선교 보고서를 통해 서방세계에 알리게 된다.

스가노(管野, Sugano)의 부산 성경보급소 사역

1884년 4월 13일 톰슨은 자기의 아내와 동경의 캐나다 감리교회 신자인 미우라(三浦, Miura Ushimo), 그리고 스가노 부부를 동반하고 부산에 도착했다.

일본영사 마에다(前田)의 주선으로 동래(東萊)성으로 가는 간선도로변의 집 한 채를 세를 얻어 보급소와 권서의 숙소로 꾸몄다.

톰슨과 스가노는
부산에서 10여 리
떨어진 한 마을에서
다량의 성경과
소책자를 나눠주었는데,
서로 먼저 가져가려고
할 정도였다.
와글와글
이토록 말씀에
굶주렸나?
공짜면 뭐든
좋다 아이가?
따뜻하게 대접해줘
감사합니다!
동래 온천처럼 여기 동래 사람들
마음이 따땃하다 아입니까?
톰슨은 또한 부인과 함께 동래부사를
방문하여 친절한 대접을 받기도
했으며, 곧 일본으로 되돌아왔다.

톰슨은 일본인 권서들로부터 "장터에서 하루에 12권 이상의 성경을 팔고 있으며, 아무런 방해도 받지 않고 성경이 반포되고 있다"는 보고를 들었다.

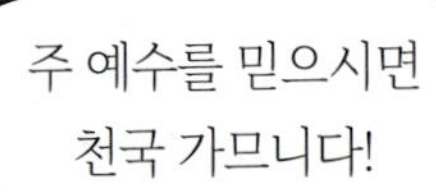

스가노는 부인과 함께 열심히 권서 활동을 전개하여 부산 · 동래는 물론 대구까지 복음서를 전했다.

희한한 책장수가 왔다카더마.

진짜 사랑이란 하나님 사랑이에요.

어려서부터 예수님을 알면 정말 좋은데…

재미있을 거 같은데 마, 돈이 없네.

아부지 이 책 좀 사주이소!

그러나 만연한 빈곤 때문에 성경이 많이 팔리지는 않았다.

다만 장날에는 성경보급소가 책을 읽으려고 모여드는 사람들로 붐볐는데 '출입구에 놓인 신발바닥 닦개가 닳아버렸을' 정도였다고 한다.

공짜로 구경하니 부담없고 참 좋~네!

참 재미나네!

어머나 사람 좀 봐! 호떡집에 불 난 줄 알았네.

스가노는 이것을 전도의 좋은 기회로 이용하였다.

마음 놓고 읽으셔요!

오홋? 신기하네! 말씀 살아있네~ 마!

스가노는 내한 이후 1886년까지 약 2년간 2,000여 권의 성경을 반포했다.

그러나 스가노는 1887년 1월 경에 사망하고 말았다.

그리고 부산보급소도 1887년 전반기까지 운영되다가 폐쇄되고 말았다.

미국 선교사 조선 입국

이와 같이 서상륜이 서울에서 맹활약을 하고, 일본인 권서들이 부산·대구지역에서 활동하고 있던 1884년 가을, 알렌이 입국하였고, 그 다음 해에 1885년 언더우드와 아펜젤러가 입국하였다.

그때 이미 서울에는 서상륜의 권서활동으로 이미 3백여 명의 신앙인이 있었으나 다만 공개되지 못하였고, 교회도 없어 정식 예배에 참석하지 못하고 있을 뿐이었다.

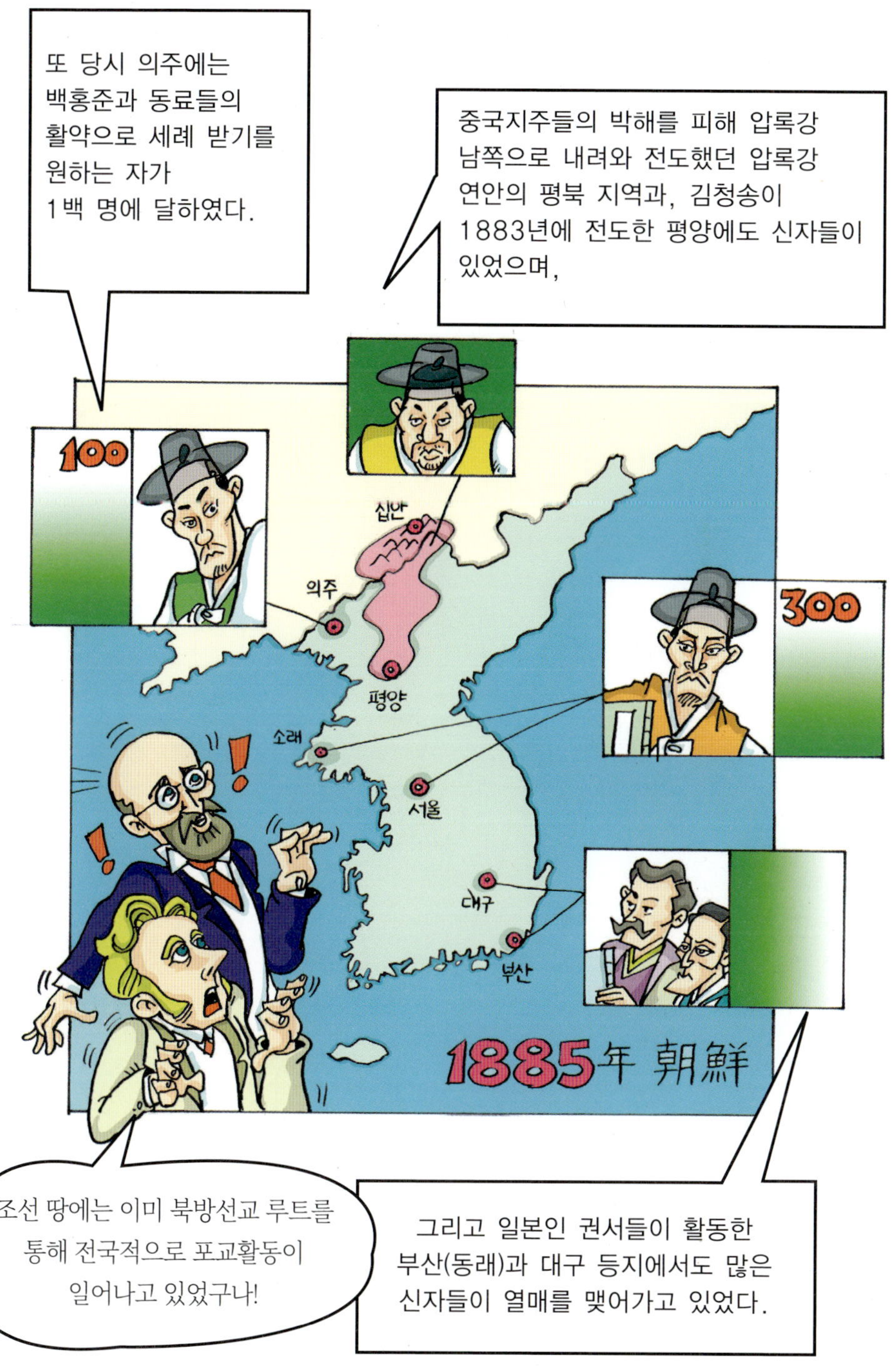
또 당시 의주에는 백홍준과 동료들의 활약으로 세례 받기를 원하는 자가 1백 명에 달하였다.
중국지주들의 박해를 피해 압록강 남쪽으로 내려와 전도했던 압록강 연안의 평북 지역과, 김청송이 1883년에 전도한 평양에도 신자들이 있었으며,
100
집안
의주
평양
300
소래
서울
대구
부산
1885年 朝鮮
조선 땅에는 이미 북방선교 루트를 통해 전국적으로 포교활동이 일어나고 있었구나!
그리고 일본인 권서들이 활동한 부산(동래)과 대구 등지에서도 많은 신자들이 열매를 맺어가고 있었다.

그 결과 남방선교 루트를 상징하는 미국 선교사들이 서울에 왔을 때 이미 수백 명의 세례 신청자들이 존재했다.

이게 모두 하나님이
직접 일하신 기적이
아니고 뭐겠습니까?

사실 1885년의
조선 상황은 입국한
미국 선교사들이 씨를
뿌리기도 전에 오히려
'이른 추수'를 거둬
들이는 데 분주해야
했던 상황이었다.

**북방선교 루트(서상륜), 드디어
남방선교 루트(언더우드)와
만나 하나가 되다!**

1885년 아펜젤러와
언더우드가 들어왔을 때,
이 외로운 사역자의
기쁨을 상상할 수 있겠는가?
드디어 복음의 씨를 뿌리는
수고를 함께 할 몇 사람이
생긴 것이다!
(서상륜의 회고)

문광서원판 한글 신약전서 완간!

앞으로는 대영성서공회가
출판 비용을 댑니다.

인쇄비를
3분의 1로 줄인
소활자본으로!

1883년
〈예수셩교셩셔
누가복음 뎨자행젹
(사도행전)〉 출간!

1884년, 〈예수셩교셩셔 맛대복음젼셔
(마태복음)〉와 〈예수셩교셩셔
말코복음젼셔(마가복음)〉 출간!

1884년까지 4복음서와 사도행전이 일단 간행된 후, 1885년부터 로마셔(로마서), 코린돗젼후셔(고린도전후서), 가라댜셔(갈라디아서), 이비소셔(에베소서) 등의 단권들이 계속 인쇄 · 출판되었고, 한편 요한복음, 마태복음 등의 개정판도 출간했다.

1887년 한글 최초 신약전서 〈예수셩교젼셔〉 발간!

이렇게 신약성경의 단권들을 간행, 보완한 후 마침내 한 권으로 묶인 한글 최초의 신약 전서인 〈예수셩교젼셔〉 5,000부가 '예수강셰일천팔백팔십칠년'(서기1887년)에 '셩경 문광셔원 활판'으로 간행되었다.

총 339페이지에 20.5×12.5cm의 크기였다.

새문안교회 설립

1887년 9월 12일, 정동에 있는 언더우드 목사의 사랑채 두 칸을 터서 약 30명을 수용할 수 있게 만든 예배처소에서 최초의 공식 교회인 새문안교회가 설립되었다.

첫 예배를 드릴 때 만주 봉천에서 한국의 복음사업을 위하여 그처럼 많은 수고를 하던 존 로스 목사가 드디어 참석하였다.

그 동안 수고 많았어요. 오늘 첫 예배에 참가하는 신도 14명 모두 서상륜 형제가 전도한 분들이라 들었어요.

아유, 제가 무슨 수고요? 주님이 다 하신 거죠. 그나저나 목사님 많이 늙으셨네요.

신약전서를 전부 다 번역 출간 하시느라 너무 애쓰셨나 봐요. 목사님이 제일 수고 많으셨어요!

옛 동지들을 이리 보니 너무 감사하네요!

잘 오셨어요. 목사님! 웰캄 투 코리아! 하하

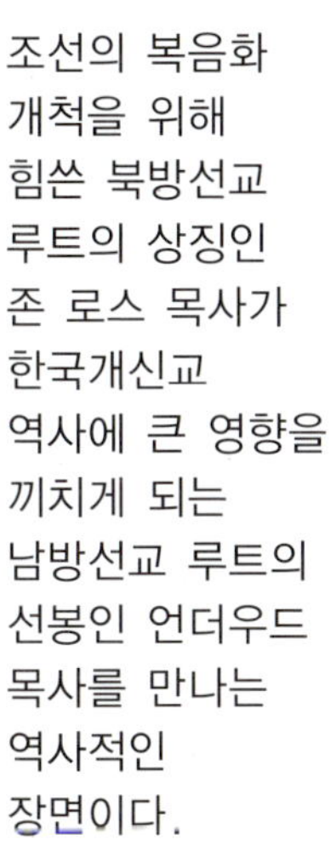

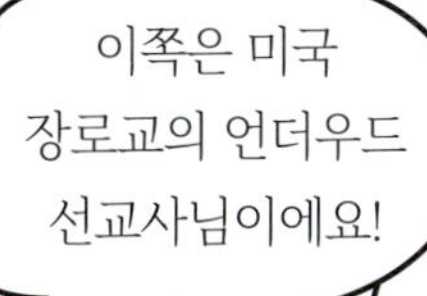

조선의 북방선교 루트와 남방선교 루트가 만난 중대한 결실인 새문안 교회의 설립예배가 시작되기 직전, 로스는 주섬주섬 저고리에서 무언가를 꺼내 언더우드에게 건넨다.

받으시죠.
백홍준 형제와
서상륜 형제의
세례증서 입니다.
이제부터는
새문안 교회의
교인이 아닙니까.
아니 이런
세심한
배려까지
해주시다니!
감사합니다.

마침 오늘 첫 예배에서 장로 피택을
하려는데 아마 이 세례증서의 주인인
두 분이 될 것으로 예상됩니다. 하하
장로는 무슨?
전 자격이 없습네다!
하하
그럼 더
잘 되었네요.
로스 목사님, 정말 대단하신 분이야. 자신이 뿌린 열매들을
조건 없이 이양하다니… 주님의 마음을 가진 분이 맞구먼.

그럼 예배 준비 때문에
먼저 들어갑니다!
구구르
까-깍
로스 목사님도
들어오세요.
빨리요!
아, 난 잠시 있다
들어가리다!

구-구-구르
까-깍

구-구

깍-깍

조선의 수도 서울에서
첫 교회가 설립되는 날,
성령님의 상징인 비둘기와
조선사람들이 제일 사랑하는
새인 까치가 교회 앞에서
같이 놀며 울고 있구나.
재미있는 일이네…
그래, 둘이 이렇게 만나기까지
참 많은 일이 있었지…

새문안 교회 14명의 교인들에 의하여 만주에서부터 성경번역과 배달에 참여한 백홍준과 서상륜, 두 사람이 장로로 피택되었다.

이리 될 줄
주님은
이미 다
아셨던 거죠?
할렐루야!

예수성교젼셔

10

성경번역을 시작한 지 만 10년!
한국의 강산이 변하는 세월동안 이미 수만 권 성경의 씨를 뿌려 놓았던 로스가 믿고 바랐던 그 '풍성한 수확'의 때가 온 것이다.

그토록 염원했던
조선 땅에서의
복음 전도가 이제
물밀듯이 들어오는
미국 선교사들에
의해 이루어질
것임을 로스는
확실히 보게 되었다.

맞아, 하나님 말씀은 틀린 것이 하나도 없어!
"한 사람이 심고 다른 사람이 거둔다 하는
말이 옳도다" (요4:37)

이 역사를 이루기 위해 그 동안 주님이 사용하신 도구들을 보자!
존 로스 목사 부부와 존 맥킨타이어 목사 부부…

이응찬, 김진기, 이성하, 백홍준, 서상륜을 포함한 10여 명의 한글성경 번역자들과 김청송과 중국인 인쇄공들, 봉천 동관교회 왕조사 등과…

그리고 스코틀랜드 연합교회 교인들, 또 NBSS, BFBS 두 성서공회의 노력과 기도가 뭉쳐져 번역 · 출간된 성경을 통해 〈예수성교〉의 빛이 한국 사회에 밝게 퍼져 나갔던 것이다.

이제부터 한국에 오는 선교사들은 로스가 믿고 바랐던 그 '풍성한 수확'의 때를 맞이하면 되는 것이었다.

1887년

6장: 그 후의 이야기들

에필로그

김청송의 전도와 함께 로스의 방문과 세례로 1884년 11월에 태동된 집안현 이양자 교회(裡楊子 敎會)는 이후에도 주변의 수많은 교회들이 태동되는 모체가 되었다.

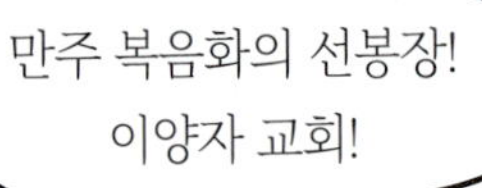

될성부른 나무는 떡잎부터 알아본다 했지요?

다음 목표:
전 간도의 복음화!

군 장교 출신들이 많아서 일 하나는 화끈하게 하죠!

조선예수교장로회사기(차재명: 1924)에 따르면 1898년 정식으로 한인 첫 장로교회인 이양자교회가 설립되었고 이성삼, 임득현 등의 전도활동으로 교회를 일구어 나갔다고 기록한다. (이 시점은 이양자교회가 독립적인 예배당 건물을 마련한 때로 보인다.)

裡楊子敎會

(심양) 봉천

고려문

집안

백두산

단동

의주

후배들이 잘 하니
전 조기은퇴 할까 봐요
하하!

이양자교회는 1900년 의화단 사건 당시, 중국인들의 방화사건에 휩쓸려 파괴되는 수난을 겪었지만,

평북 선천지역의 선교사 휘트모어(N.C. Whitemore 魏大模)와 그의 조사 안승원에 의해 교회가 재건되었다고 한다.

이양자교회는 다시 문을 연 이후 전도사와 선교사를 지속적으로 남만주 일대에 파송, 뢰석구교회(1903년) 신풍교회(1908년) 왕청문교회(1910년) 요천수교회(1910년) 등의 한인교회들을 세우는데 직 · 간접적으로 영향을 끼쳐 한국교회의 만주 선교에 기원이 되었다.

110년이 넘도록 현지 중국인들이 교당골이라는 이름으로 불러온 '지린성 유림현 교당골(榆林縣 敎堂溝)' 은 바로 조선인들이 세운 교회당이었다. 이곳에는 1898년 조선인 최초 교회가 설립되었음을 알리는 표지석이 존재한다.

1887년 9월 27일, 한국 최초의 조직 교회로 발족한 새문안교회에서 서상륜과 함께 한국 최초의 장로로 세워진 백홍준!

白鴻俊

한국 최초의 장로 백홍준

원 목사님 정말 급해요! 세례 받을 사람 정말 많아요!

언더우드 목사 부부

백홍준 장로는 서울에 상경할 때마다 언더우드 목사에게 압록강 하류 의주에 와서 여러 신자들에게 세례를 베풀어 달라고 간청하였다.

8살 연하 남편 정말 성실해요.

드디어 언더우드 목사는 1889년 결혼과 함께 신혼여행을 구실로 하여 의주까지의 여행 허락을 정부로부터 받았다. 의주로 온 언더우드 목사는 세례 받기를 희망하는 100여 명 신자가 있는 것을 보고 너무나 감격하였다.

언더우드 목사는 세례문답을 거친 후 백홍준의 전도를 받은 의주 사람 김이련(金利鍊)과 그의 아들 김권근 등 33인을 선발하여 압록강 한가운데로 나아가 압록강 물을 떠서 세례식을 거행하였고, 이들과 함께 의주교회를 창설했다.

장로교는 물속 풍덩 세례는 안 한대요!

목사님 시간 없으면 우리 모두 물 속으로 다이빙 할까요?

압록강 국경까지 가서 세례를 준 것은 국내에서의 세례를 금지한 국법을 존중해서였죠.

양반이 어찌 다이빙?

물에 빠뜨리면 추워! 난 이게 좋은데?

1890년 백홍준은 언더우드 선교사가 서울에서 개최한 최초의 신학반에서 공부하였고 그후에 서상륜, 최명오 등과 함께 한국교회에서 최초의 유급 교역자로서 '조사'로 임명을 받았으며 평북지역 교회 개척의 중임을 맡았다.

1890년 최초 조사들

백홍준은 김이련, 한석진, 양전백, 김진근 등을 잘 교육하여 목사로 키워내 한국교회의 훌륭한 지도자로 배출했다.

백 장로는 만주 봉천을 왕래하며 로스 목사와 연락을 취했고 1890년에 로스 목사가 의주로 나와서 그의 집에 머물면서 한달 이상 백 장로의 인도로 의주와 강계지방을 순회 전도하였다.

메마른 영혼에 단비가 내린다!

목사님 댁처럼 편하게 지내세요.

(심양)
봉천
집안
고려문
강계
의주

1890년

드디어 조선 땅에서 전도하는 숙원을 풀었소 하하!

나는 기일! 한국어 달인! 최초의 한영사전을 발간했고 춘향전과 구운몽도 번역하게 되지!

난 마포삼열! 평양에 장로교 신학교와 숭실 전문학교를 세울 거에요!

다음해인 1891년에는 새뮤얼 모펫 선교사와 제임스 게일 선교사가 전국순회여행을 하면서 의주에 들러 백홍준의 안내로 의주와 강계 일대에서 전도하고 돌아갔다.

한국 선교사에 큰 획을 긋게 되는 마포삼열과 기일, 두 선교사를 소개합니다!

백홍준을
길잡이로 하여
여러 서양인들이
오고 가는 것을
보면서 관리들은
그에 대한 감정이
좋지 않았다.
조선엔 정말
아름다운
곳이 많군요.
삼천리 금수강산
이라잖아요.
난 조선말이
아름답던데.
어디 한번
걸려만 봐라.
본때를 보여주겠어.

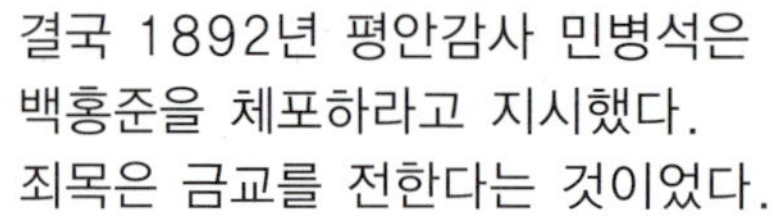
결국 1892년 평안감사 민병석은
백홍준을 체포하라고 지시했다.
죄목은 금교를 전한다는 것이었다.

이단사설을 퍼뜨려
혹세무민한 죄가
크도다!
백홍준
꼼짝 마라!
평안감사의 명으로
널 체포한다!
아니, 내가 뭘 잘못했다고
이 밤에 난리요?

백홍준은 의주에서
체포되어 투옥되었다.

1892년~1893년

백홍준 장로는 목에 칼(형구의 일종)을
쓰고 2년 동안 갖은 고초를 겪으며 몸이
쇠약해져 1893년 옥중에서 세상을 떠났다.
그는 한국인 개신교도로서 최초의 순교자가 되었다.

한국개신교 최초 순교자 백홍준

비록 백홍준은 세상을 떠났지만 그가 뿌린 복음은 결코 헛되지 않았다. 그의 가족 가운데 20여 명의 성직자가 배출되었으며 100개가 넘는 교회가 그의 가족들에 의해 설립되었다.

특히, 사위 김관근은 장인의 사업을 이어나갔고, 후에 목사가 되어 평안도 일대에 많은 교회를 설립하였다.

탐험 전도자 서상륜

새문안 교회에서 선출된 장로직을 고사한 것으로 알려진 서상륜은 이 후에 단독으로 전도 여행을 다닌다.

도여행을 출발할 때 그는 반드시 보따리 속에 복음과 금계랍(말라리아 특효약 퀴닌), 리고 씨감자를 지참했다고 한다.

영혼의 구원과 치유를 위해 복음을 주고, 가난한 육신의 삶을 돕기 위해 약품과 씨감자를 주면서 질병의 치료와 풍요로운 삶에 대한 희망을 심어 주기 위해서였다.

서상륜의 개인전도 보따리 공개합니다!

씨감자

당시의 만병통치약 금계랍!

영혼의 만병통치약 성경

서상륜
개인전도여행

그의 개인전도 지역은 매우 광범위하여 경기도 일원을 두루 다녔으며, 평안도는 평양을 중심으로 선천과 의주까지 복음을 들고 다녀야 했다.

황해도는 소래를 중심으로 황해도 전역에 그의 발걸음이 닿지 않은 곳이 없을 정도였고,

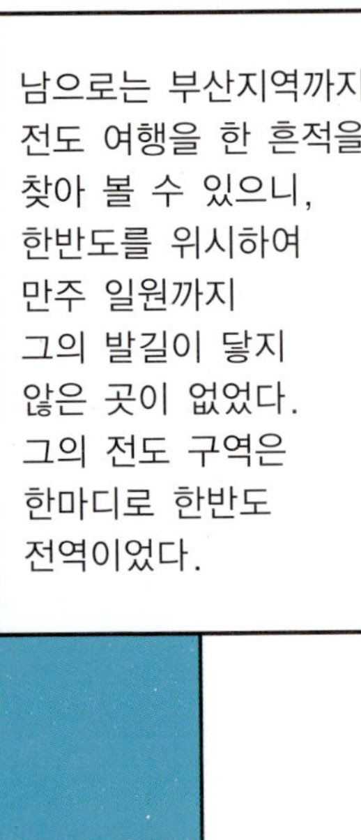

복음에 빚진 자가 어찌 쉴 틈이 있겠소?

1891년 봄에는 선교사 게일(James S. Gale 기일)과 모펫(Samuel A. Moffett 마포삼열)을 인도하여 탐험 전도 여행을 하였는데, 평양과 의주를 거쳐 남만주 일원과 북간도 그리고 회령 · 함흥 · 원산 등지를 두루 다닌 후 다시 서울로 돌아오는 여정이었다.

선교사의 조사로, 안내자로, 통역자로 동행하면서 전도한 사실도 기록에서 찾아 볼 수 있다.

서상륜 조사는 조선 선교의 길라잡이!

James S. Gale

화끈한 분이죠!

Samuel A. Moffett

1891년 마포삼열, 기일과 탐험전도여행

19세기 말 당시 서울의 종로와 을지로 지역은 상가와 시장 등으로 구분되어 상업과 서비스업에 종사하는 서민들이 모여 살았다. 특히 연못골에는 나막신바치, 찬우물골에는 갖바치, 방아다리에는 배추장수, 두다리목에는 병졸 등이 모여 살고 있었다.

새문안교회가 설립된 후 서상륜은 활동무대를 이런 서민지역으로 옮긴다.

이 연못골에는 1892년, 46세의 나이로 내한하여 주로 천민들 특히 백정 전도에 심혈을 기울인 선교사 무어(Samuel F. Moore: 모삼열)도 한국인 조사 김영옥 · 천광실 등의 협력을 얻어 전도한 흔적이 있었다.

연동교회 설립

1894년 1월 서상륜과 이길함(Graham Lee)에 의하여 설립되었다.

이 곳에서 서상륜은 전도와 더불어 교회 건물을 준비하기 위하여 노력하여, 현 연동교회가 위치하고 있는 연지동 136번지 17호의 초가 한 채를 매수하여 예배 처소를 삼도록 주선하였다.

예배당을 건축하여 1896년 10월 4일에 헌당식을 거행.

이길함 선교사님의 인품이 워낙 좋은 덕이었죠.

Graham Lee

새문안교회를 설립한 서조사의 노하우가 정말 필요하게 잘 쓰였죠!

A.G. Welbon

C.A. Clark

원래 제중원에서
의료선교사 알렌과
함께 서상륜·송석중·
김필준이 예배 드리던
곳이, 1885년
헤론 선교사가 와서
1893년에 곤당골
교회로 세워졌는데,
이곳이 바로
승동교회의
전신이죠.

서조사는 유능한
교회 개척자였죠!
교회설립 전문가!

승동교회 설립

1904년에는 다시 선교사 웰번(A. G. Welbon), 클라크(C. A. Clark : 곽안련)등과 협력하여 탑골공원 뒤에 승동교회를 설립하고, 이여한과 함께 조사로 시무한다.

한일합병이 되어 조선의 국운이 저문 1910년, 60세를 넘긴 서상륜도 제2의 고향인 소래로 낙향한다.

나라는 망했지만 1909-1910년 성령의 불길이 전국적으로 일어나 "백만인 구령운동'에 의해 많은 영혼이 구원 되었죠.

집 한 채 없는 서상륜의 고독한 말년을 전해 들은 언더우드는 과거 서상륜이 소유하였던 기와집을 다시 구입한 뒤 그에게 선물하여 그의 쓸쓸함을 위로하여 주었다.

하하 원 목사 덕에 비는 피하고 사네.

동생 경조가 국가의 독립을 위해 고생하는 아들 병호를 따라 상해로 떠나자 서상륜은 소래에서 약 80리 정도 떨어진 장연군 속달면 태탄리로 이주한다.
이후 1926년 1월, 76세를 일기로 소천한다.

존 로스 목사와 만주 동관교회

1880년대 존 로스 목사의 선교적 관심은 두 가지였다. 한글 성경 번역의 완료와 중국 크리스천 사역자들에게 더 높은 수준의 신학교육을 제공하는 것이었다.

한글성경 번역이 완료된 1887년, 신학교육에 대한 정식 프로그램이 최초로 제도화 되었고, 중국교회의 장로들을 중심으로 한 평신도 지도부에서부터 높은 신학적 훈련을 실시하게 된다.

1898년에는 봉천에 '동북신학원(東北神學院)'이 건립되었다. 존 로스 목사가 초대 학장에 임명되어 몇 년간 봉직한다.

신학원을 통해 현지 성직자를 양성하는 로스의 선구자적인 사역은 당시(1894-1904) 만주를 무대로 일어난 3대 주요 사건들 (청일전쟁, 의화단 사건, 러일전쟁)로 인해 심한 어려움을 겪을 수 밖에 없었다.

그 와중에도 로스 목사는 효과적인 선교를 위한 각 교파들 간의 갈등을 해결하기 위한 초교파 활동에 매진한다.

로스 목사는 말년에 선교학적 주제와 역사적 주제에 관한 많은 집필활동을 한다.

1903년에는 만주에서의 선교활동에 사용했던 방법들을 구체적으로 설명한 〈만주선교방법론(Missionary Methods in Manchuria)〉을 출간했다.

3가지 주요원칙:

1) 최고로 훈련된 능력 있는 후보자를 선교 현장에 보낸다.
2) 선교사들을 주요 정착지에만 상주시켜 현지 개별 교회를 담당하고 있는 전도자와 설교자들을 관리 지원한다.
3) 기존의 현지 전례를 반영한 표현방식과 전도방법을 독려한다.

로스 목사의 제부이자
사역동지였던
존 맥킨타이어
(John Macintyre:
1837-1905)목사가
베이다이허에서
1905년 사망한다.

로스는 1907-1908년 만주 전역을
휩쓸었던 부흥 활동을 기록한
〈만주의 부흥에 관한 기적의 이야기
(Marvellous Story of the Revival in
Manchuria)〉를 1908년에 출간하고
이듬해인 1909년에는 〈중국 종교의 기원
(Original Religion of China)〉을 집필한다.

조선이 일본에 합병되던 1910년, 로스 목사는 악화되는 건강 상태로 인해 은퇴하여 에든버러로 돌아갔다.
안녕 중국과 조선!
38년 선교사역을 마치고 스코틀랜드로 돌아갑니다.
1910년

에든버러 세계선교대회
(Edinburgh World Missionary
Conference)에 참석한 뒤…

5년 동안 고향 근처의
한 농장에 머물며
지내다가…

1915년 8월 6일 사망, 뉴잉턴 묘지 (Newington Cemetary)에 묻혔다.

1915년

동관교회는 심양에서 제일 오래된 중국인 교회로 1881년 로스가 심양으로 진출하면서 예배당을 지었으나 1900년 의화단 사건 때 불타 없어졌고 1907년 지금의 예배당을 재건했다.

동관교회 오른편에는 로스가 한글 성경을 번역하고 인쇄했던 문광서원 건물이 남아 있다. 이 건물엔 '번역조선문성경구지'(飜譯朝鮮文聖經舊址)란 안내 표지가 붙어있었다.

1915년 로스 목사가 별세하였을 때, 이 교회 교인들이 그의 공헌을 기리는 기념 동판을 만들어 예배당 강대상 뒤쪽 벽에 부착하였는데, 문화혁명 당시 휘장 안에 가려져 있었기에 발각되지 않고 남게 되었다고 한다.

"…그 음성이나 모습이 여전히 계시는 듯해 경의를 표하노라. 하나님께 충성하고 성도들을 사랑하기를 38년간 사방에 교회를 일으킨 관동의 한 분이시여. 교회당을 신설하고 설교하시니 그 덕행이 받들림을 받도다. 영광을 하나님께 돌리며 만고에 보존하기 위해 돌에 비문을 새기니 길이길이 남아 있으리라."

한국교회 역시 로스 목사의 묘비 아래
기념 석판을 놓아 감사를 표시했다.

맞습니다. 하나님!
모두 당신이 하신
일입니다!
우리들을 당신의 위대한
일에 사용해주셔서
감사합니다!

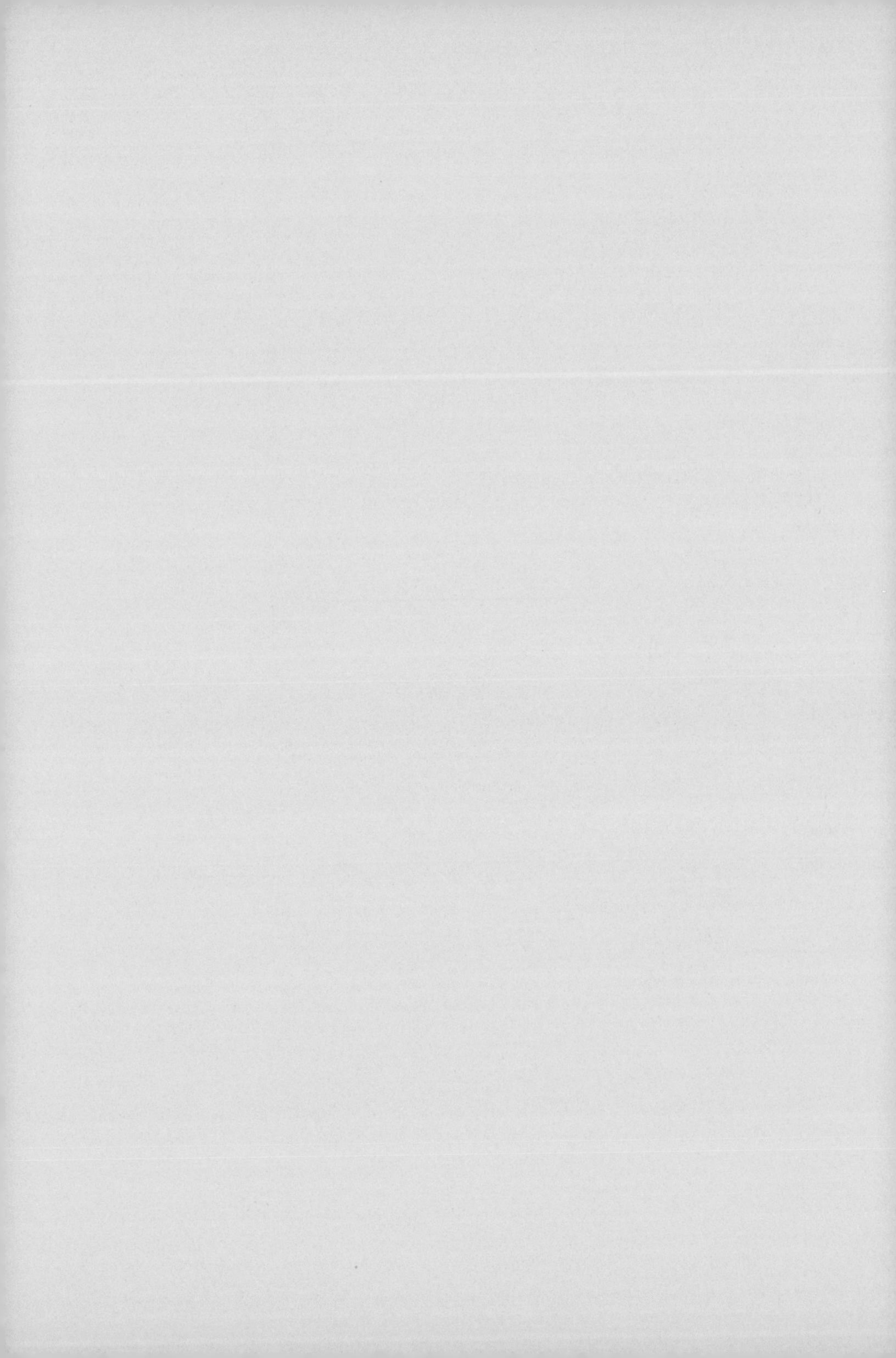